80個啟蒙遊戲，輕鬆引導孩子的惱人行為

0-3歲孩子正向遊戲

修訂版

袁巧玲 博士、國際行為分析師◎著

新手父母

總目錄 • CONTENTS

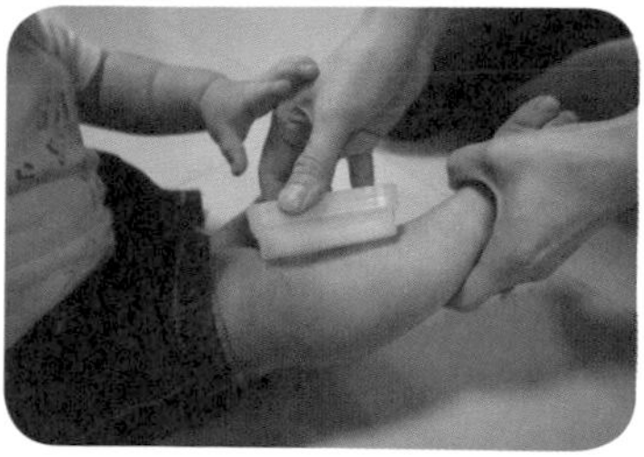
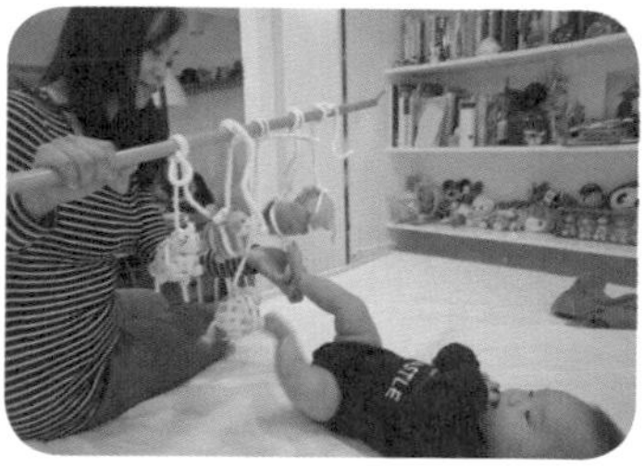

第2章

0~6個月寶寶啟蒙遊戲

迎接第一個急速發展期

總目錄・CONTENTS

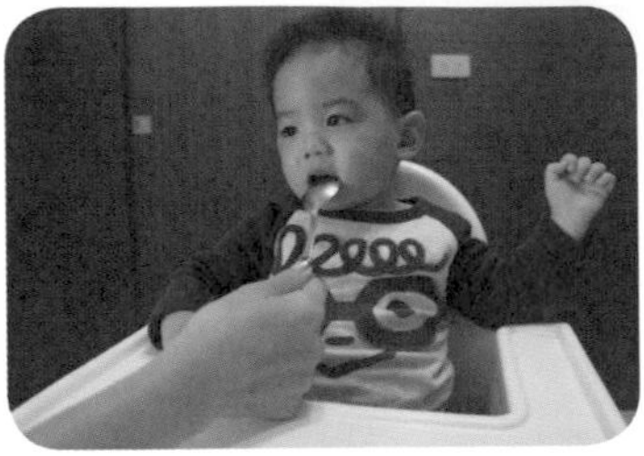

第3章

7~12個月寶寶啟蒙遊戲

寶寶的第一個學步期

第4章 1～2歲寶寶啟蒙遊戲 引導第一個小大人期

總目錄・CONTENTS

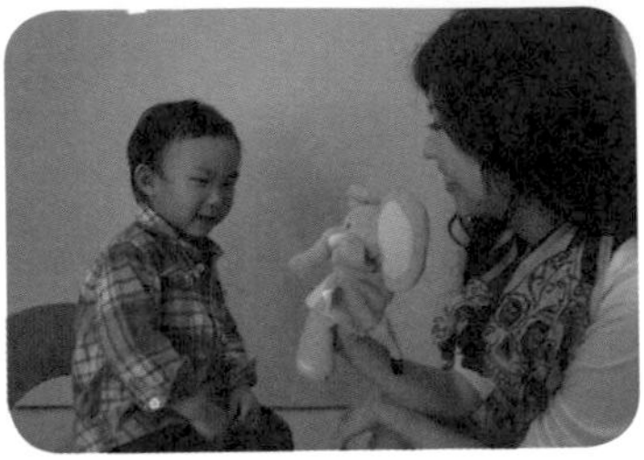

第5章

2~3歲寶寶啟蒙遊戲

準備克服第一個叛逆期

總目錄・CONTENTS

分齡目錄 • CONTENTS

總目錄・CONTENTS

【推薦序❶】陳力瑜

有效且增添親子互動的教學法

●教育心理學博士、兒童應用行為專家

中國人最強調，不要讓孩子輸在起跑點上！可是，隨著現在科技的發達與進步，幾乎每個作母親的打從小孩自娘胎起，就開始給予小孩充足的營養與胎教，因此，小孩的智力與學習力似乎也因此都升級了！要教育現在的新生代，已經不是填飽他們的肚子就好了，而是需要更多的循循善誘！

我想當我們在強調，小孩不要輸在起跑點的同時，我們也要問問作家長的，是不是擁有教育下一代的能力與知識？

在《0－3歲孩子正向遊戲修訂版》一書裡，家長可以窺見袁老師在教學的過程中，不僅對幼兒的心理與生理狀態加以著墨，更針對許多家長較不擅長的遊戲教學舉例說明。遊戲學習可以說是幼兒最好的學習方式之一，讓幼兒在輕鬆開心的環境下學習，不只效果良好，更能增添親子之間的互動、建立深厚的感情，真是一舉數得的教學法！

袁老師在書中分享自己的親子互動與教育過程，加上她多年的應用行為分析背景，在每個章節都切中要點的給予幼兒的父母非常好的建議與分析，更提供家長們訊息使他們對幼兒有全面性的瞭解。相信，若是家長們能夠在閱讀《0－3歲孩子正向遊戲修訂版》時，細細揣摩，並使用本書建議的方式來教導自己的幼兒，必定能夠減少許多無謂的摸索與無所適從的時間浪費！更能在教養幼兒的過程裡，事半功倍，增添樂趣囉！

【推薦序②】陳佩玉

和孩子互動的樂趣隨處即是！

●國立台北教育大學特殊教育系副教授

我是一位應用行為分析師，也是一位媽媽。究竟什麼是應用行為分析？它和教養孩子又有什麼關係呢？我想這可能是很多新手爸媽心中的疑問。

談到應用行為分析，很多家長直覺地會想到特殊教育。然而，所謂的應用行為分析，是在日常的情境中，觀察孩子和環境互動的過程，從中找出他行為的原因和目的，並從行為訓練的原則思考可能的因應策略，以訓練孩子的能力，或引導孩子使用其他的方式來達到他的目的。由此可知，應用行為分析適用的對象非常地廣泛，其中當然包括年幼的孩子。新手爸媽們或許能夠從觀察孩子的反應和動作，猜測孩子的需求和他行為可能的意圖，然而卻可能不知道後續該如何引導孩子使用適當的方式來滿足其需求。

在這本書中，袁老師就孩子在各個發展階段常常表現的行為問題，先從孩子的角度來幫助爸媽們了解孩子的行為可能的目的，再以兒童發展的角度使爸媽們了解孩子在各個發展階段的重點。接著，袁老師巧妙地結合了自己的育兒和教學經驗，以及應用行為分析中經常使用的訓練策略，以遊戲的方式與新手爸媽們分享訓練孩子基本能力和引導孩子的方法及要點。在這本書中看不到艱澀的學術用語，但是袁老師所分享的遊戲訓練策略中，卻包含了各種應用行為分析常使用的行為訓練原則。

在閱讀完本書之後，我發現自己在教養孩子的過程中使用許多書中提及的小遊戲，也從中得到了更多與孩子互動的點子。我非常認同袁老師所倡導的觀念，教養孩子其實可以不用仰賴昂貴的課程和玩具，和孩子互動的樂趣隨處即是！爸媽是孩子最好的啟蒙老師，就讓我們從現在開始吧！

【推薦序③】張旭鎧

給對遊戲，輕鬆教養

●專業職能治療師、親職專家

從《5分鐘玩出專注力》系列套書開始，我就跟「遊戲」結下不解之緣。我對「遊戲」的定義是：自願參加並且獲得樂趣的行為，因此讓孩子在遊戲之中學習生活上所必須的各項能力，是最有效且最省力的，它不僅能讓父母輕鬆教養，更可以提升孩子的學習效率。

今日榮幸拜讀袁巧玲老師的著作《0－3歲孩子正向遊戲修訂版》，書中以行為分析學的角度，建立0至3歲每個時期孩子所必須學習與建立的能力，並且利用生活周遭容易取得的簡單道具，DIY設計有助於孩子語言、社交、情感、動作及認知發展的遊戲，比起市售的玩具多了一分創意，也多了一分趣味。

相信擁有本書，父母隨時都能自創好玩的遊戲，且時時都能陪著孩子玩，孩子也能在快樂的遊戲中學習各項技能同時獲得成長。再次謝謝讓我先睹袁老師的大作。

【推薦序4】黃資裡

引導父母站在寶寶的角度來解讀問題

●悠之家產後護理之家執行長、資深護理師

當我看到這本書的初稿，實在太驚豔了，忍不住想要推薦給我身邊的所有媽媽們。

我是一位產兒科護理工作者，每年經手的媽媽超過千位，從孕期到生產甚至育兒都是我的強項。當寶寶漸漸長大時，接踵而來的是一大堆難題，僅是生理照護、健康成長已不能滿足父母們的需求，它包含了心理發展、行為發展、生活適應、常規訓練、親子關係等，然而，每位寶寶都是獨立的個體，每位父母都是當了父母才開始學當父母，也都想當最稱職的父母，但該如何做到最好，常讓父母們無所適從，遍尋書籍或是別人的經驗，期望直接套用到自己的寶寶身上，卻常常事與願違，搞得父母們束手無策。

這本書中的每個章節前先以「寶寶的內心世界」，提醒父母們聽聽寶寶的心聲，引導父母站在寶寶的立場及角度來解讀每個生活問題，進而設計出實用、簡單、生活化又符合年齡需求的遊戲及玩具，讓父母們輕鬆和寶寶相處，同時也讓寶寶的能力透過學習與練習逐漸發展，讓每位父母成為自己寶寶的專家。

書中詳細的分年齡階段，引導父母們學習該如何與孩子相處，預先將生活上可能發生的問題逐一解答，是所有準備為人父母、新手父母、家中有幼兒的父母都應該拜讀的一本工具書，擁有它，絕對會增強父母的功效；擁有它，將是帶孩子的活用錦囊、神丹妙藥。《0－3歲孩子正向遊戲修訂版》是我會強力推薦給所有父母的一本好書。

【推薦序5】劉騁

從親子互動中了解孩子的需求

●兒童特殊教育博士、劉氏兒童社會福利基金會董事、劉氏教育總裁

當教育界充滿了五花八門的教育理論與教學方法，家長在這個資訊爆炸(information overload)的時代，從孩子出生，很多家長就生活在恐懼裡，就害怕耽誤了孩子的發展：

・喝母乳的孩子比較聰明！到底要喝幾個月才會聰明？
・吃魚的孩子比較聰明！可是又害怕魚有汞汙染……
・會爬得孩子比較聰明！我孩子喜歡站怎麼辦？
・要不要上早教，早教對於孩子的幫助何在？
・學鋼琴的孩子不會變壞！從小就要一直聽莫扎特嗎？

如何知道什麼才是有助於孩子的成長？

因我長期在美中台輔助家長克服兒童過動、注意力不集中、自閉症、學習遲緩等兒童發展問題，看到許多兒童遇到的困難大多是可以在成長過程中給予適當的刺激而避免的。袁巧玲博士在此書裡提出了重要並且實用的觀念來刺激0至3歲的兒童成長：

❶**鼓勵家長和孩子的互動**：很多雙薪家庭的孩子是讓家裡長輩，育嬰中心，或保姆來看管。大部分的長輩，育嬰中心，或保姆重視的是讓孩童吃飽及安全為主，教育似乎成為一週一次一小時的課程。但兒童早期許多學習能力的形成是需要常常練習與複習的，這也只有家長能做到。

❷**以玩遊戲為教育方式**：三大教育理論之一的建構式學習（Constructivism

Learning Theory）的核心是讓兒童在不同的環境刺激下創造自己的學習體驗。以遊戲為教育方式，讓孩子透過遊戲的刺激來累積他對這個世界的了解是個對孩子來說好玩，有趣，並不會造成壓力的學習方法。

❸**感官刺激：**人類最核心的學習雷達為視、聽、動、嗅覺、味覺所有的吸收來自於這些感官如何整理世界給我們的資訊，兒童當下能力能整理的成為他們的現實。如何給予這些能力刺激，讓能力更成熟，會是決定孩子的學習難易的關鍵。

袁巧玲博士以最易於操作的方式，明確的步驟，呈現了以上教育核心的觀念。透過此書，家長能容易地把0至3歲的教育運用在日常生活中。家長如能從和孩子的互動中更了解自己孩子的需求，針對孩子的需要來給予刺激與輔助，這才是真正有助於孩子的發展與成長的主要關鍵。

新手媽媽推薦

●曾邀請袁博士和她的小孩到家裡來玩，短時間內她不但馬上跟我4歲及2歲的孩子打成一片，並詳盡地分析兩個孩子的個性、行為，甚至還教我該如何引導孩子。一個家庭主婦獨立照顧兩個未上學的孩子，最怕在教養上遇到盲點而不自知。近來袁博士在社群網站上的分享，特別是舉出她跟小孩間實際相處情形，加上專業的建議，每每更是鼓勵我、讓我知道自己在教養上的堅持及方法對孩子們是好的。期待袁博士的新書，能帶給新手爸媽們更多幫助及支持。

庭蕾媽媽

●身為一個新手媽媽，面對哭笑無常的寶寶有時真會感到手足無措，《0-3歲孩子正向遊戲修訂版》幫助我更理解我的寶貝。看了書中介紹的小遊戲，我也開始學習利用家裡隨手可得的簡單素材，跟兒子一起享受互動的快樂時光。袁老師與Aiden的生活小故事，就像每天發生在自己家裡般真實與親切，真是本超適合每對親子、每個家庭的好書。

雅文媽媽

●作為一個新手父母，很高興能認識袁老師，並進而與袁老師互相分享育兒的經驗。透過與袁老師的互動讓我與自己的小孩有機會學習有別於傳統東方文化的育兒經驗，就如同我們很少聽到西方小孩在餐廳大吵大鬧甚至在餐廳奔跑一般，西方的小孩很早就可以獨立與自理生活等！很高興知道袁老師認真地把她的經驗有系統的整理成冊並且分享給更多新手父母，讓我們都可以當個輕鬆的父母，在育兒上有疑問的新手父母都很適合來與袁老師一起以不一樣的教養方式教出好小孩。

Janice 媽媽

●第一次拜訪巧玲時，她不僅專業且對兒童教育充滿熱情；當我再次拜訪巧玲，她的辦公室多了張小床和一個大同電鍋。她一邊幫 Aidan 蒸愛心便當，一邊和我聊教出書的計劃。我由衷佩服她用不完的精力，也很羨慕她能將專業和她的生活完全融合。看到 Aidan 天真滿足的笑容，盡情在教室裡和其他的孩子一起學習、探索。身為兩個孩子的媽，不禁想問巧玲，「你如何辦到的？」這本書解答了我許多疑問並提供實用的方法。我看到自己教養上常遇到的問題，例如愛打人、無法分享玩具等，還有不時出現的小提醒，讓我更了解孩子的想法。對於很想「戒吼」的我，從遊戲中學習真是積極又有效的做法。更重要的是增加許多親子間美好的互動和回憶，給孩子一個的快樂無懼的童年。

Penny 媽媽

〔自序〕袁巧玲

放鬆心情，享受親子互動的美好

人生很奇妙，有很多的際遇可能就是我們人生的轉捩點。還記得我在美國讀大學的時候，因為一次打工的機會輔導了一個有行為問題的孩子，在輔導他的那一年中，我們一起歡笑、一起面對困難；後來，當我進入了研究所，無法再教他的時候，他寫了一封信告訴我，我是他最好的朋友。就是那一封信，激起了我對教育的興趣，從此我的人生生涯也因那分感動而有了方向。

勤做功課　當個不輸在起跑點的家長

取得博士學位後，我繼續地研究對孩子最適合的教學方式，也在美國紐約的一間學齡前的學校擔任輔導家長的主任，在多年的輔導過程裡，我一直很好奇，為什麼在我們的教育體系裡，從來沒有一門「如何當父母」的課？沒有「作為父母」的研究所？但這卻幾乎是每個人在人生中都要經歷的角色？比起一般的專業，無論是醫學、商業、法律、美術或建築……等，作父母，可能需要花上更多的時間，還要隨著孩子不同發展的階段，進行更多的練習和進修，才能成為一位有專業水準的家長。父母，真的不好當。

我從來不信那套「不要讓孩子輸在起跑點」，這反倒是將這樣的壓力帶給孩子，我寧願作個「不輸在起跑點的家長」。我很lucky，因為我的專業背景的確替我在當媽媽的身分上加了不少分，雖然當自己第一次成為父母，還是有很多事情要摸索、要學習，但我做了功課，幫自己建立好一些作父母該有的基本原則和態度，常常提醒自己親子關係的重要性，放下身段，嘗試以孩子的觀點去看世界，我發現，這個時候的我較能放鬆心情，教養孩子也能是愉快、美好的。

將孩子的惱人行為　視為正常發展的過程

一直以來，我期待能將專業和親身體驗的結合與大家做分享，但真正寫這本書的起源，是來自於一次我在台北市立圖書館演講的啟發。當時我的講題是「提升嬰幼兒的關鍵學習能力」，講完後的一段Q&A時間，一位抱著一個10個月大寶寶的媽媽問我：「我的小孩現在會亂丟東西，要怎麼改掉他的壞習慣？」我的腦子裡立刻浮現我兒子在那年齡丟東西的畫面，想著想著不禁開始露出微笑的表情，讓在座的家長非常困惑。

我後來為家長們解說，**我們一般會將孩子惱人的行為視為「壞的、不好的、需要被改善的」，事實上，很多孩子的行為只是他們正在發展的一個過程，這些行為雖然不討喜，但卻是正常的發展指標**。可惜的是，多數的人通常會預先幫孩子訂定不符合孩子能力的標準，孩子不僅是做不到，到最後還影響了親子關係。

書中的案例，是家長在教養孩子們時常遇見的問題，透過遊戲的應對方式，家長會發現這些問題其實不需要過於放大，把自己的心情放輕鬆，享受親子互動的美好，這個過程將成為屬於你們愛的回憶。

第1章

遊戲啟蒙對寶寶的重要性

寶寶一出生，除了日常的生活照顧外，他們的生活就是玩，玩，也就是他們的生活。那麼，遊戲到底對寶寶的發展扮演著什麼樣的角色？不和寶寶遊戲，又會帶來什麼影響？

玩出聰明腦的秘訣

在許多歐美國家，嬰幼兒方面的專家都指出，遊戲有助於寶寶生理及心理的發展，它不僅能帶給寶寶安全感、增進親子關係，還能有效的激發語言、社交、情感、認知和肢體動作的能力；而這些能力，將深深地影響寶寶往後的學習能力，那些透過和家長一起玩遊戲成長基礎能力已建立好的孩子，日後對學習會特別有興趣，不僅學習動機較強，同時也會對自己較有自信。

搭配孩子的發展選擇遊戲

玩遊戲有它一定的重要性與價值，若是還能搭配孩子的發展階段來進行，就能玩出家長所期待的效果。

❤在寶寶發展的初期，遊戲的內容應著重在**視覺**、

聽覺、嗅覺、觸覺和味覺的感官上，讓寶寶看看環境中鮮豔的物件、聆聽輕柔的音樂、聞嗅院子裡的花香、觸摸不同材質的玩偶、品嚐美味的食物。

❤一旦寶寶的身體技能擴展後，寶寶的遊戲也應該開始**轉換為以肢體動作為導向的活動**，從手部的抓握、爬行到肢體的伸展，只要能誘發寶寶活動他們的小身體，他們的大腦就能不斷地接收和連結環境所給予的刺激。

❤接下來，隨著年齡的成長，寶貝的能力會更為複雜，這時候，家長選擇的遊戲必須將焦點放**在寶貝的語言、社交情緒、想像及創造力、獨立性和問題解決上**，為孩子往後的學習奠定穩固的基礎。

由此可見，玩遊戲除了要「好玩」之外，還要玩在「對的時機」，當家長的方向對了，方法也對了，就能創造出最高的遊戲價值。

玩遊戲的 10 大好處

❶ 認知、社交、情緒及肢體的發展
❷ 強化神經系統的連結
❸ 提升專注力、持續度、記憶力
❹ 提供安全感
❺ 穩固親子關係
❻ 建立自信心
❼ 發展自我概念
❽ 快樂、正向的情緒
❾ 適當紓解壓力的管道
❿ 增加學習的動機

啟蒙遊戲對寶寶的重要性——從玩中學習

一同玩，一同學習，應是現代家長的教養模式。但是玩，在這裡指的不是丟一個玩具讓孩子自己玩，或是看著他玩，而是和他一起享受玩的過程和樂趣。玩遊戲的時候，心情是放鬆的，氣氛是愉悅的，寶寶在無壓力的狀況下學習你正在激發他的能力，從中感受到你給予的關愛，同時，你也能親眼目睹從學習中獲得的美好成果，藉此可增進父母對自己的自信心，因而產生更多的正面能量，一個正向的循環和親子關係就這樣地被建立了！來吧，和寶寶一同玩耍，一同創造出屬於你們的甜美回憶！

嬰幼兒期需父母的陪伴——孩子的聰明關鍵

我深深地相信，**父母的陪伴與引導，是奠定孩子學習基礎的源頭**。有許多人，偏向依賴老師、投靠坊間的課程，期待孩子會因而變得「聰明」，這些其實都是錯誤的觀念。孩子靈不靈活，學習力強與否，都與能力的建立及平日的練習與經驗累積相關，就如那

些平常的生活習慣、行為及品格的養成，只有靠父母的引導才能達成，所以，趁現在，把握孩子年幼的時期，為他營造一個豐富的學習環境，你的付出和努力才是孩子的聰明關鍵。

玩遊戲前父母應具備的事——觀察、陪伴、了解、同理

誰說寶寶一出生，你就是最了解他的人？當你和他第一次見面，將他擁入你的懷裡，直到之後的磨合期，都需要父母的細心觀察與關注，才能找到適合彼此的互動模式。玩遊戲也是如此，在遊戲的過程中，父母應學習觀察孩子對事物的情緒及反應，例如是否玩得很開心，或是會害怕？適時地依他的反應來變化活動，同時給予必要的協助與正面的回應，例如說，「你做對了，好棒！」請切記，**歡樂的過程遠勝於遊戲的結果，只有你的理解與陪伴，孩子才能在學習的道路上更順利！**

如何使用這本書——了解孩子的內心世界、早期啟發孩子的各項能力

許多父母經常問我一些他們常常需要面對的問題，無論是孩子無理取鬧、不受控制、挑食、還是不喜歡刷牙，都是一般家長會經歷但又不知該如何處理的難題。但是，身為家長，我們是否曾經嘗試跳脫出父母的角色，以寶貝的觀點來看世界？換作你們是孩子，你會有什麼樣的行為表現？當你停下腳步，放低預設的標準，觀察孩子並了解他，你會發現，孩子是需要被引導的，能力是需要被培養的，透過這本書，你將更能了解你的孩子，在對的時機點做對的事，教養，也會有了方向。

用遊戲引導孩子行為發展的益處？

當爸爸媽媽面對孩子的問題行為時，往往會因為不知該如何處理，而喪失耐心、說出傷害性的話，或做出一些不必要的懲罰，這些舉動孩子都看在眼裡，影響在心理，在處理孩子的行為問題上並沒有太大的益處或效果，反而會嚴重地破壞親子之間的關係。那作父母的該怎麼辦？一定要用嚴肅的態度來面對這些行為問題嗎？只有負面的方式才

能讓這些行為不再發生嗎？

我們來換個角度想想，當孩子在經歷負面的對待時，其實他們是恐懼的、不安的，在這些負面的情緒下他們只學到「不可以做哪些事」，但卻無法學到「可以做哪些事」，表面上看似孩子不敢再犯，事實上並沒有真正的解決「根本」的問題。

藉由遊戲的引導，孩子可從中學習到該有的行為，理解哪些行為才會受到肯定，父母同時也能以正向的方式和心情去面對孩子，達到雙贏的目的！

啟蒙遊戲不用花大錢

啟蒙孩子一定要專業的師資及場地、昂貴的玩具？花錢買最夯的玩具、替孩子報名最新潮的課，你真的認為你給了孩子最好的嗎？許多的玩具和課程，標榜著無數的好處，孩子真正從中獲得有多少？你看見了嗎？還是只是獲得一個心安，認為至少沒有讓孩子錯失學習的機會？每位父母都期盼望子成龍、望女成鳳，但是，你可知道，你並不需要花大把的鈔票來買教具或課程，**只要利用日常生活中現有的物品，你一樣可以發揮你的想像力，為孩子設計出他專屬的遊戲，玩出品質。**

孩子不會玩本書提供的遊戲怎麼辦？

請相信我，只要用對方法，你的寶貝一定會玩。孩子不玩，有很多原因，是不喜歡玩，當下不想玩，還是沒能力玩？在玩遊戲前，你需要考量下以三點：

❶最需要優先考量的，是孩子**當下的生、心理狀況**，他累不累？肚子餓不餓，還是剛吃飽？

❷**情緒也很重要**，他的情緒是平穩的，還是焦慮的？再來就是觀察一下孩子的現有能力，他若是缺乏手部的力道，期待他能跟你一起滾球就是不合宜的。

❸另外，玩遊戲也**需要動機**，遊戲若是設計得不好玩，孩子就不會被吸引，也不會有意願參與。

因此，謹記這三點，調整一下自己，引導孩子玩遊戲絕對可以是一件輕鬆又快樂的事。

第2章

0～6個月寶寶啟蒙遊戲

迎接第一個急速發展期

你相信嗎？寶寶的前六個月一轉眼就會過去了，這段期間你的寶寶也以驚人的速度在發展，所有的變化都是那麼地神奇和令人感動，還記得第一次將他抱入懷中，他對著你微笑的小臉；叫喚他時，他第一次看著你的眼神；及第一次陪他玩的時候所發出的ㄎㄜ、ㄎㄜ笑聲……最了不起的是，這些都是你幫他做到的！好好獎賞自己一下吧！去吃頓大餐或為自己買個小禮物，這是你應得的！

0～6個月可塑性強寶寶的行為發展

寶寶一出生的前幾週，甚至前幾個月，父母都是把焦點放在照顧寶寶的生活起居上，包括吃、睡、洗澡、排便……等，隨著父母的照顧方式和規範，寶寶也藉此養成了一些生活習慣，而在這些例行公事之外，在父母的觀察下最顯著的，就是寶寶動作能力的發展及與他人互動時的反應。

的確，在寶寶出生後的幾個月內，我們就能看到寶寶驚人的發展，許多父母會透過他人、網路或教養書中等管道來汲取與寶寶相關的資訊，目的就是要確認寶寶一切的發展都正常。

雖然在我們取得的資訊中可以告訴我們一般寶寶的發展指標，但是每個寶寶還是會有個別差異，就如有些寶寶會提早翻身，並不代表那些還沒翻身的寶寶就是落後；或是當寶寶眼神注視在物品上的時間不夠長時，便擔心他有專注力上的問題。

盲目的想要遵循「一般的標準」，只會帶給父母本身壓力，與其將別人的孩子跟自己的孩子比較，還不如將這些發展里程碑視為可努力的方向，趁寶寶年齡小，可塑性高的時期，以循序漸進的方式，提供寶寶必要的刺激，開始協助寶寶建立必備的關鍵能力。

0～6個月寶寶的發展

語言發展（包括聽覺與視覺）

☺ 逐漸學會辨識人或東西發出的聲音和聲音傳來的方向
☺ 開始理解不同的聲音代表不同的意義
☺ 聽到別人叫他時，他會有反應
☺ 漸漸明白某些肢體語言的意思，當你對他說：「過來，寶貝！」他會舉起雙手，渴望被人擁抱
☺ 開始會在你和周遭的人面前發出聲音、模仿你的聲音

社交和情感發展

☺ 在與人互動時，會盯住別人的臉，與他們做眼神的交流
☺ 模仿一些簡單的動作
☺ 開始注意周遭環境和身邊移動的東西
☺ 會與你玩一些互動的遊戲，例如，躲貓貓

動作發展

☺ 可抓握物件，將物件送入嘴巴
☺ 玩弄自己的手和腳
☺ 坐立和翻身
☺ 會敲打玩具
☺ 用腳支撐身體

認知發展

☺ 可尋找部分被藏起的物件
☺ 透過手與口來探索環境
☺ 嘗試拿取遠距的物件

如何鼓勵寶寶活動肢體？

爸媽提問

平常都是由大人幫寶寶按摩或做伸展，要如何鼓勵他有動機自己動一動呢？

寶寶的內心世界

真羨慕爸爸媽媽想去哪裡就去哪裡，哪像我，不是坐在躺椅上，就是躺在床上看著吊掛玩具，好無聊啊！咦！我最喜歡的蘇菲離我好遠，要怎麼做才能拿到我的好朋友呢？

專家這麼說

剛出生不久的新生兒，經常看似手舞足蹈，事實上，他們的動作是以反射動作居多；需經過幾週後，寶寶們才會開始慢慢出現具目的性的動作，例如，彎曲自己的手臂，再將手帶到自己的視線範圍，或者是把手放入口中。

爸爸媽媽會發現寶寶的頸部肌肉在迅速的發展，等到他可以自己穩定地支撐頭部時，你就可以嘗試讓他玩一些可以趴著玩的遊戲；在這個時期，寶寶的抓握能力也愈來愈顯著。接下來的幾個月，寶寶更能控制他的身體，他會伸手去拿他感興趣的東西，支撐自己並坐直起來，甚至還會向前蠕動爬行。依照這些發展指標，你可以透過觀察寶寶的肌力發展，在寶寶的先備肌力條件下，選擇玩符合他能力的遊戲。

還記得，在我兒子 Aidan 出生後，我最重視的就是調整他的生活作息，固定他每天吃、睡和玩的時間，有了規律的作息，不只他有穩定的情緒，我也才能有足夠的休息時間及清楚的頭腦可以教導他。在陪伴 Aidan 的時候，我發現一個非常好用的秘密武器，就是「**觀察**」。我不只觀察他的身心發展，同時也觀察他對事物的反應，「觀察」之所以好用，是因為我會選擇恰當的時機，譬如當他心情好的時候（例如，寶寶看著你對你微笑、嘗試對你說話的時候），陪他玩幾個小遊戲，只要時機對，他不僅玩得開心，還能達到學習的成效。

當然，專家媽媽也需要從錯誤中學習，有一次，我嘗試讓他以向前蠕動的方式拿取他喜歡的小書，因為一時心急，我將書放在離他一公尺遠的地方，沒想到他才動了一下就停止了，那時我才發現自己犯了一個毛病，就是把目標設定太高；從那之後，我常常會提醒自己要觀察 Aidan 現有的能力，再挑選那些他可以做到的遊戲，所以**除了拿捏好時機以外，還要搭配孩子的生理發展，孩子才會學得開心，學得有自信。**

啟發寶寶伸展肢體的遊戲

腿部肌力遊戲

遊戲1　空中腳踏車❶（適合1個月以上的寶寶）

材料

幾樣有聲音的玩具（如鈴鐺）、曬衣桿或棍子、細繩幾條

玩法

• 將有聲玩具以細繩綁住並懸掛在曬衣桿上，再讓寶寶躺在柔軟的床上，如果你的寶寶已經會翻身，可以將枕頭放置在他的兩側，以引導他往上看。讓寶寶看到你為他準備的玩具，再把曬衣桿帶到寶寶可以用腳踢到的高度。

• 並協助他用腳踢玩具；持續的觀察寶寶的反應和動機，如果他喜歡踢，讓他繼續玩，如果他並無太大興趣，可以嘗試替換其他的玩具或是先停下來，當寶寶理解如何玩這個遊戲時，再移動曬衣桿的位置或角度。

遊戲 2

蠕動小毛蟲（適合4個月以上的寶寶）

材料

幾樣鮮艷的玩具

玩法

• 讓寶寶趴在柔軟的墊子上，放一個鮮艷的玩具在他前面（即看得到卻拿不到的地方），媽媽站在寶寶的後方，將你的手貼在他的腳上，當寶寶對玩具有興趣時，寶寶會嘗試用腳頂著你的手並朝著玩具的方向滑動，你可以以輕推的方式協助寶寶。

• 記得當他自己嘗試的時候要讚美他說，「你好棒！」同時讓他得到玩具以作為獎賞，在這個活動中可常更換玩具來提升寶寶想爬的動機喔！

貼心小叮嚀

家裡加入了新成員，爸爸媽媽一定是手忙腳亂，但是不管再怎麼忙，也要幫自己和孩子找到規律的生活步調，要記得，你的好心情會帶給寶寶好的情緒，久而久之便會成為一個正向循環，加油！

手部肌力遊戲

遊戲1 雙手扭扭樂（適合3個月以上的寶寶）

材料

髮圈（注意，不可過緊）、幾個鈴鐺

玩法

- 這個時期的寶寶對自己的手腳會非常的有興趣，將幾個鈴鐺綁在髮圈上，再套在寶寶的手腕上，寶寶會發現手上多了一個東西而產生好奇心，當他不經意的動動手時，鈴聲會吸引他的注意。
- 這個遊戲可有不同的變化，幫寶寶替換手腕，甚至將髮圈套在腳上，都能鍛鍊寶寶的四肢動作，有時候寶寶還能從遊戲中練習取下髮圈，這個動作又是更高階的能力喔！

貼心小叮嚀

如果想偷懶，是否可選購市面上附有玩具的手套或襪套代替？不建議喔！有時候把寶寶的小手蓋住，會成為另一種干擾寶寶的刺激呢！

遊戲 2

天空寶藏（適合4個月以上的寶寶）

材料

手推車、靠枕、幾個車掛勾、幾條繩子、可吊或可綁的小玩具（建議選擇鮮豔、或碰到時會發出聲音的玩具）

玩法

- 先將手推車的手把調整為面向寶寶座位的方向，把幾個車掛勾分別懸掛在推車的手把上並將小玩具直接掛在掛勾上（或用繩子將玩具綁住後直接垂掛在掛勾上）。
- 當寶寶心情好的時候，讓他坐在手推車裡，並在他的背部墊一個靠枕，靠枕的用意是除了能支撐寶寶的背部外，還能輔助他輕鬆地碰觸到玩具，因此媽媽可以自行調整靠枕的厚度，讓寶寶在舒適的環境下還能同時訓練他的伸展能力。記得要常常更換玩具，才能提升寶寶伸展的意願喔！

如何啟發寶寶的智能發展？

爸媽提問

我的寶貝還小，什麼都不會，好想多給他一些刺激，除了讓他看閃卡和聽古典音樂外，還能玩哪些啟蒙遊戲？

寶寶的內心世界

這個世界好有趣啊！有會動的東西和奇奇怪怪的聲音，還有常常會對我笑、抱抱我又塞給我一個毛茸茸怪物的人。別看我坐在這裡不動，我可不是在發呆，我在等你陪我玩呢！

專家這麼說

這個階段的寶寶，大部分的時間看似都花在吃奶跟睡覺，但其實他們的大腦正忙碌地接收各種感官刺激並從中學習。雖然現階段寶寶的行動力有限，但只要搭配簡單的肌力運動，便能輔助寶寶學習。研究也顯示，家長若能每天提供一些適當的刺激，不但能提升寶寶的學習動機，同時還可奠定其各項能力的學習的基礎。

生了寶貝兒子後，我也立即將自己的專業背景套用在兒子身上，將理論應用在生活中。當我的寶貝兒子 Aidan 一出生，他每天的行程就一定會包括吃、玩、睡，只要他玩得多，體力消耗得足夠，就能吃得多也睡得好。

還記得甫從月子中心返家，我都會趁他喝完奶，心情好的時候，陪他玩一些視覺、聽覺、觸覺或肌力的小遊戲；一開始因為各方面還在發展，能專注的時間並不長，但是也因為多次的練習和長期的累積，Aidan 的專注力越來越好，反應甚至比一些同年齡層的孩子們還要靈敏！你也試一試吧！

貼心小叮嚀

爸爸媽媽不要給自己和孩子太多壓力，每個孩子的反應和接受度都不一樣，提供刺激固然重要，但是更重要的是讓孩子喜歡這些遊戲，才能提高孩子的學習動機。所以實際應用時，要學習觀察寶寶的反應，漸進式地調整難易度，若是寶寶表現出沒興趣或是累了，就讓他休息吧！千萬不要勉強孩子過度學習。

提高寶寶感官接收度的遊戲

視覺刺激遊戲

遊戲 1

我看，我看，我看看看

（適合1個月以上的寶寶）

玩法

- 將自己的臉貼近寶寶的臉，當他注視你的時候，伸伸舌頭、眨眨眼或做一些逗趣的表情，記得要鼓勵寶寶的專注表現。
- 之後以漸進的方式，移動你的臉並輕聲地叫他的名字直到他找到你，當他找到你時要再讚美一次，「好棒！你找到媽媽了！」

遊戲2

用眼睛賽跑（適合1個月以上的寶寶）

材料

圖卡、玩具、手電筒

玩法

- 利用圖卡、玩具或手電筒，先讓寶寶注視放在定點的物品，然後再慢慢地移動物品，一開始的移動先以線條式為主，例如上下或左右移動。
- 當寶寶有穩定的表現，就可以調整困難度，漸進式地將直線條調整為彎曲線條或幾何形狀，當寶寶能持續專注並追蹤線條的時候請讚美他。

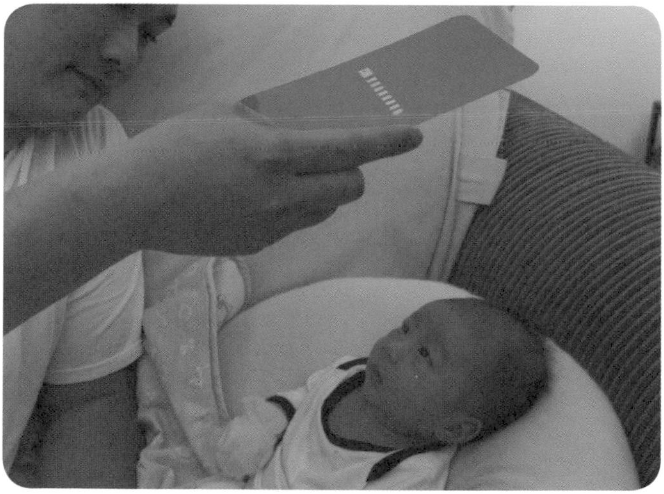

聽覺刺激遊戲

遊戲 1

聲音聲音你在哪？

（適合3個月以上的寶寶）

材料

含蓋子的塑膠透明罐、米、豆子、水

玩法

- 準備幾個含蓋子的塑膠透明罐子，分別裝入米、豆子、水等物品，製作不同的聲音罐。
- 讓寶寶平躺在床上，拿起一個罐子在他的耳邊輕輕地搖一搖，當寶寶的頭轉向聲音的來源時，讓他看到罐子並描述他所聽到的聲音，例如，「這是水的聲音，你找到水了！」接著將罐子擺放在不同的位置，讓寶寶嘗試找到聲音的來源。
- 持續觀察寶寶的反應，當寶寶對一種聲音表現出沒興趣時，請再更換其他的聲音罐。

遊戲 2

這是什麼聲音？

（適合3個月以上的寶寶）

材料

動物圖卡

玩法

- 排除環境中吵雜聲音的干擾，讓寶寶斜躺在舒服的椅子上並展示動物圖卡給寶寶看，同時告訴寶寶圖卡裡的動物名稱是「公雞」，接著問，「公雞怎麼叫呢？」再直接模仿出動物的叫聲「咕咕！」；停頓一下後再更換另一張動物圖卡並重複之前的步驟。
- 也可以運用一些環境中的物品，例如電話、門鈴、果汁機等，讓寶寶連結日常生活中會接觸到的物品。
- 練習幾次之後，你會發現寶寶開始對某種聲音特別有反應，這就代表他已經開始把物品和聲音做連結了！

觸覺刺激遊戲

遊戲1 觸覺神秘箱（適合3個月以上的寶寶）

材料

家裡的日常生活用品，建議選擇不同材質的小型物件，包含小毛巾、毛刷、去角質石、裝有綠豆的塑膠袋、棉花、保鮮膜包好的麵團；一個挖洞的小紙箱；也可以將不同材質的小物件分類後黏貼在板子上

玩法

- 將不同質地的小型物件放入紙箱裡，引導寶貝從箱子中拿出物件，以一次只取出一個物件的方式來提升對這個遊戲的新鮮感，每當拿取一個物件，就給予寶貝一點時間體驗物件的觸感。
- 媽媽可以盡量讓寶貝嘗試不同的體驗方式，透過抓握、輕拍、碰觸、雙手替換、壓或捏，寶貝的大腦除了在接收大量的刺激訊息外，還能同時訓練他的精細動作。

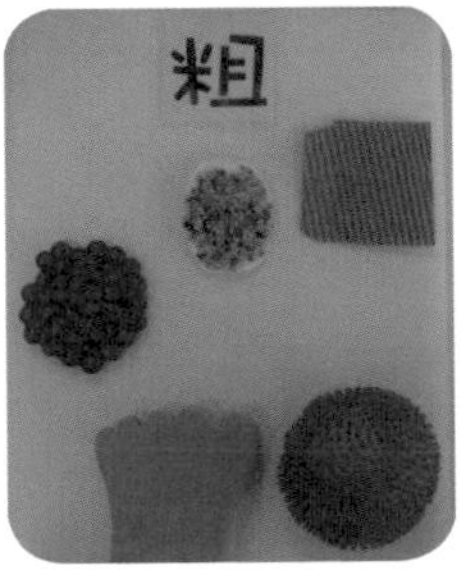

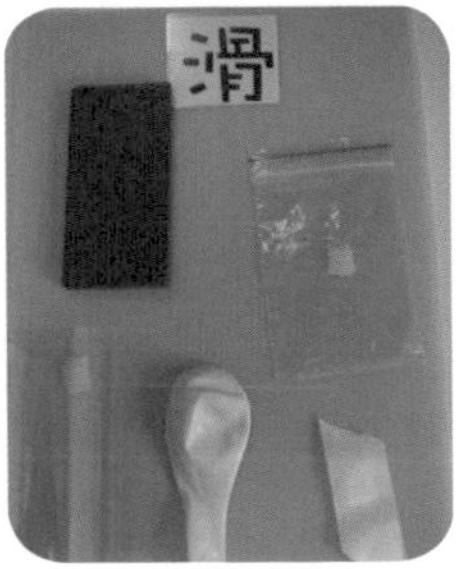

遊戲 2

磨沙新體驗（適合5個月以上的寶寶）

材料

水族箱的底沙（或便利商店不要的咖啡渣，或觸覺刷）、鞋盒大小的空盒子

玩法

- 將沙子（或咖啡渣）倒入盒子裡，先從寶寶的手部開始，讓寶寶的手指和手心沾一些沙，讓他感受一下沙的觸感，給寶寶一點時間適應和探索的機會，在寶寶可以接受的情況下，覆蓋更多的沙。
- 接著再將他的小手放置在盒子裡，輕壓在沙子上，寶寶若是喜歡這樣的活動。接下來可協助將他的手伸入沙中，讓他在沙中動動他的手指。手部磨沙新體驗嘗試過後，寶寶也可以體驗腳部磨沙喔！

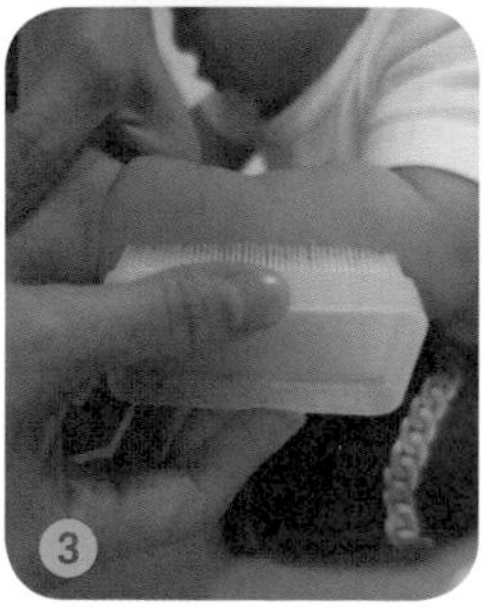

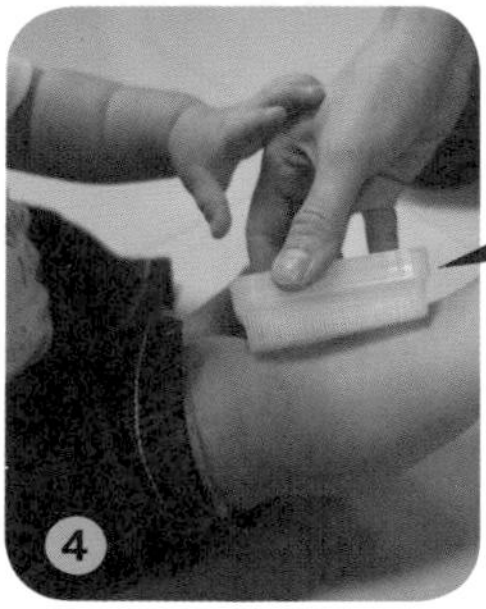

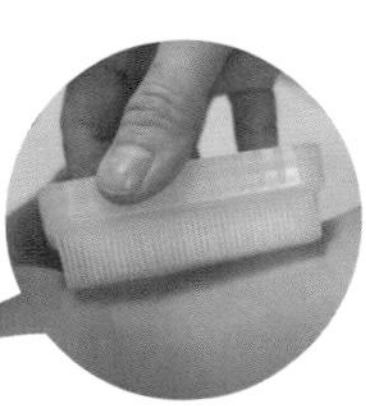

觸覺刷

為什麼叫喚寶寶他都不理人？

爸媽提問

叫寶寶的時候他好像都沒聽到，都沒反應也不理人，一直玩自己的玩具，怎麼回事？

寶寶的內心世界

爸爸媽媽每天都會說同樣的話，常常對著我說「乖乖」，這是什麼意思啊?!

他們到底要我做什麼呢？

專家這麼說

寶寶大約在4、5個月的時候能開始區辨不同的聲音，這個時候他才會開始對自己的名字有反應，但是對寶寶而言，名字是無意義的詞彙，有些寶寶，因為曾經在媽媽叫喚他的時候，正好看了媽媽一下，媽媽在那個瞬間若是曾給他一些回應，例如，一個微笑或一個擁抱，寶寶就會從中學習別人叫他名字時該有的反應。也有些寶寶，沒有這樣的經驗，所以就較難做連結，這也告訴我們，寶寶的能力是要透過練習才能習得的喔！

記得我懷 Aidan 的時候，我就每天對著肚子叫他並跟他說話，當然出生後也不例外，每當我一叫他，一和他的眼睛有了交集，我便會繼續跟他說話，說一些與他相關的事，或是描述當下的情境，「媽媽要放你最喜歡聽的音樂囉！」漸漸地他對自己的名字愈來愈有感覺時，我就開始換個位置或者是站在離他很遠的地方叫他，他都會轉向我，並以期待的眼神盯著我看，想知道「媽媽會對我說什麼？」

貼心小叮嚀

有些寶寶在 6 個月以上才會明顯有反應，所以當寶寶還未能理解你的話語時，爸爸媽媽不用太緊張，可以先陪他玩一些聽覺刺激的遊戲，讓他練習區辨不同的聲音。

增加寶寶人際互動的遊戲

遊戲1

名字好好聽

（適合1個月以上的寶寶）

玩法

- 有些寶寶很喜歡音樂，音樂才開始播放，他就能目不轉睛的盯著音樂播放的方向，或跟著旋律一起擺動。
- 如果你的寶寶對音樂也有極大的興趣和反應，可以藉由唱歌來引起他的注意，在他看到你時，停止唱歌，再叫他的名字，讓他學習將名字與反應做連結，很快的，一開始這個對他來說無意義的聲音，會轉變成他喜歡聽的詞彙喔！

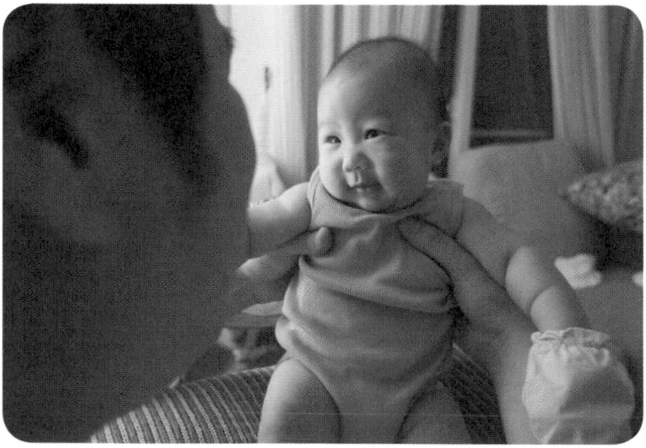

遊戲2 搞笑眼鏡（適合2個月以上的寶寶）

材料

有銀光顏色的色紙（以紅色為主）、與色紙一樣大小的厚紙板、膠水、剪刀、刀片、幾個寶寶喜歡的小玩具

玩法

- 配合爸爸媽媽臉型的尺寸，把色紙剪成一個眼罩的形狀，先將眼睛部位挖空，之後將色紙黏在厚紙板上，沿著眼罩將多餘的紙板割除，自製的眼罩就完成了！
- 玩的時候，將眼罩或小玩具放置在寶寶的正前方，當他注視眼罩或玩具的那一剎那立刻叫他的名字，並把眼罩拉到你眼睛的位置，當他的眼神隨著眼罩移動與你一對到焦，要立即讓他感受到你的開心，像是微笑和抱抱都是很重要的喔！一旦寶寶的反應穩定後，你可以變化放置眼罩的位置，也可以慢慢的將眼罩褪掉。

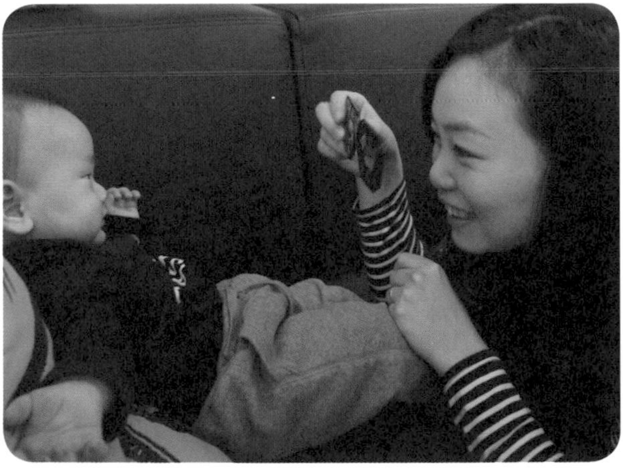

如何刺激牙牙學語的寶寶發聲？

爸媽提問

我家寶寶開始會發出聲音了，一直「ㄚ」、「ㄍㄨ」、「ㄣ」的說不停，專家們都說這是語言發展的時期，有什麼方法可以促進他的語言發展呢？

寶寶的內心世界

我會說話了！我一直都在跟爸爸媽媽說話，但他們怎麼都聽不懂呢？「ㄅㄚ」、「ㄇㄚ」、「ㄉㄚ」、「ㄋㄚ」、「ㄚ」、「ㄨ」，聲音好好玩，哇！

專家這麼說

真是美好的一天！寶寶開始會對你和他人發出聲音了，你也許還不了解他在說什麼，但這時候的牙牙語是往後語言發展和社交能力的關鍵，所以務必要讓寶寶感受到你在注意他。透過你的注意和鼓勵，你在教導他，發聲是一項重要的能力，這能引導他更想要嘗試發出不同的聲音，直到某一天，他學會開始說我們能聽懂的話。

第一次聽到兒子 Aidan 發出聲音，真是讓我和爸爸感到非常地興奮，雖然他講的外星語我們都聽不懂，我們還是很捧場，裝的好像都聽得懂，繼續跟他對話，看到兒子開心的表情就看得出來，他是有多麼的喜歡我們對他的聲音做出回應。

透過這樣的一來一往，他特別有意願發音，看到我和爸爸在說話，也要插上幾句，那時的雞同鴨講，現在回想起來還覺得很有趣，也是我們親子間獨有的共同回憶。

貼心小叮嚀

寶寶的笑聲也可以歸納為他發出的一種聲音，如果平常寶寶主動性的聲音比較少，較少發出聲音，你可以營造讓他多笑的機會，並趁他發出笑聲時，陪他一起開懷大笑！

促進寶寶語言發展的遊戲

遊戲1

回音外星語

〔適合3個月以上的寶寶〕

玩法

- 抓住每次寶寶發聲的時刻，立即模仿他的發音再逗逗他笑，寶寶一開始能發的音節很有限，但是當你以他說話的方式回應他時，他會更有興趣發音。
- 慢慢地，你便可以帶他進入開始模仿你的階段，也就是當他說，「ㄅㄚㄅㄚ」時，你也跟著說「ㄅㄚㄅㄚ」，緊接著再過一秒後你再說一次「ㄅㄚㄅㄚ」，同時觀察他能否模仿他已會發的音，幾次之後，如果寶寶還是無法模仿，不要心急，他也許只是需要更多發音的練習。

遊戲2

我會讀唇語

〔適合3個月以上的寶寶〕

玩法

・當爸爸媽媽對著寶寶說話，或者是在玩「回音外星語」遊戲時，拉著寶寶的手輕放在你的嘴唇上，讓他感受一下嘴的動作和氣從口中吐出的感覺，讓寶寶嘗試觸碰不同發聲的嘴型。

・你也可以在寶寶發聲時將他的小手放置在他自己的嘴唇上，鼓勵他繼續發音。透過觸碰的方式，寶寶能專注在語言學習上，還能同時接收觸覺和聽覺的訊息喔！

解決大寶寶吃醋的遊戲

遊戲1

禮物大驚喜

〔適合3歲至低年級的孩子〕

材料

準備幾分哥哥（或姊姊）喜歡的物品並包裝起來

玩法

- 這個遊戲可以分別在寶寶還未出生前或是出生後進行。特別留意哥哥（或姊姊）自發性的對寶寶說的話或做的事，記錄下任何對寶寶正向的語言或動作。
- 隨機的給哥哥（或姊姊）一個禮物大驚喜，讓他知道弟弟（或妹妹）很開心哥哥為他做的事情，還特別挑了個哥哥（或姊姊）喜歡的禮物要送給哥哥！透過幾次的搭配，就算是面對不熟的新生兒，孩子也會自然的產生好感喔！

遊戲 2

你是英雄

〔適合3歲至低年級的孩子〕

玩法

・想想看有哪些照顧寶寶的瑣事是可以讓哥哥（或姊姊）一起參與的，洗奶瓶？換尿布？餵奶？安撫寶寶？還是在寶寶洗澡時幫他沖水？

・融入寶寶在哥哥（或姊姊）的生活作息中，分配一些他可以負責的照顧事項，讓他有參與感，並記得放大他為寶寶做的事，例如，「哇！哥哥你把奶瓶洗得好乾淨，弟弟用你喝的奶瓶一定可以喝很多的ㄋㄟㄋㄟ」，孩子從參與中不但會獲得成就感，他也會變成你的好幫手喔！

媽媽手記

第3章

7～12個月寶寶
啟蒙遊戲
寶寶的第一個學步期

才過了幾個月，你的小寶寶又跟之前不一樣了呢！看到現在的他，再回想幾個月前的他，這一切的成長是不是令你感到非常的驚奇呢？你的寶寶才剛滿六個月，多虧爸爸和媽媽的功勞，他已經從你身上習得許多新的技能，到快滿一歲時，他已經會說一些簡單的詞彙、自己玩玩具，可能還會主動地給你一個愛的擁抱，請你唸一本他最喜歡的繪本。頭一年雖短，但寶寶卻成長了許多，接下來的日子裡，隨著寶寶的成長將會有許多驚奇和新鮮的事等著你們一起去體驗呢！

7～12個月好奇寶寶的行為發展

你需要重新認識你的寶寶！隨著各個能力的發展，你會發現寶寶的動作能力愈來愈發達，跟你的互動也愈來愈多變化了。這時候，有著好奇心的寶寶，會藉著他現有的能力去探索世界，就像是把任何物品往嘴裡放，撥弄或丟扔物品，或是拉扯媽媽的頭髮，對父母來說這些都是不討喜的行為，但它們卻是在告訴我們孩子正漫步在成長的道路上。

在這時期之前的寶寶，其實是很容易被轉移的，也就是說當寶寶做一件你不喜歡的事情時，爸爸媽媽可以利用玩具或活動輕易地轉移寶寶的注意力，讓寶寶在不知不覺中停止那令你困擾的行為。

直到寶寶七個月左右的時候，寶寶的記憶力開始強化，這時寶寶會開始記得你的「教養」方式，但是寶寶會記得的大多數會與你給予的「結果」有關，也就是當他做一件你喜歡的事情時，你的笑容和鼓勵會讓寶寶留下印象，他也會因此重複用同樣的方式來討好你。相對地，當他做了一件令你頭痛的事情時，若是你責罵他，寶寶不但不理解，還會因此感到害怕和不安。請切記，這是一個必經但不會持久的發展階段，只有你的教養方式會開始在寶寶的腦海裡留下深刻的印象，趁現在，開始思考你的教養模式囉！

7～12個月寶寶的發展

語言發展（包括聽覺與視覺）

☺ 會注視著你所說的物品名稱
☺ 當你說「不」時，他會懂得停下手中正在玩耍的東西
☺ 漸漸地會模仿別人的動作和發出的聲音，說出幾個簡單的字
☺ 開始使用肢體語言來向你表明想要某件東西，他也會指出他有興趣的東西來和你一起分享他的喜悅

社交和情感發展

☺ 他開始玩各樣的玩具，並喜歡看著書本裡鮮豔的圖片
☺ 你的寶貝開始對家庭成員流露感情，也會對別人做的事感興趣
☺ 當別人離開時，會對他揮手表示再見

日常生活技能

☺ 餵自己吃些小零食
☺ 會自己拿著牛奶瓶喝東西在你的幫助下，他也會用杯子喝水
☺ 每天早上幫他穿衣時，他會伸出手腳來協助你

認知發展

☺ 可以探尋藏起來的物品
☺ 指出一些他熟悉的物品
☺ 發展出一些記憶，可預期生活作息
☺ 喜歡堆放或放物品在容器裡

如何促進孩子的語言吸收？

爸媽提問

許多育兒書都寫著這個時期是孩子語言的吸收期，可是我要如何知道他是否有在吸收新知呢？

寶寶的內心世界

爸爸和媽媽每天都會跟我說話，可是那一串字是什麼意思呢？我很努力的聽但是都聽不懂耶！

專家這麼說

語言能力可分為兩種類型，其中包含了接收和表達，嬰兒在初期的語言學習大部分都與接收相關，如果寶寶常在某個情境裡聽到你說同樣的話，他就能將情境與話語作連結；漸漸地，他便能開始理解那些詞句背後的涵意。

要如何知道寶寶是否聽得懂呢？其實很簡單，當你說出某一個物品的名稱時，像是對著寶寶說：「熊」，他能在你說完後，轉頭看著他心愛的熊玩偶。「看」的這個動作就代表著他接收語言的能力已經在發展中，這種注意力同時也是往後語言學習、認知發展、和社交能力的關鍵。

我曾經看過一項關於語言的研究，美國的研究者發現，嬰兒在6至12個月能吸收及分辨不同國家語言的音，但這個爆發期會在1歲過後慢慢地消失，為了要掌握這個關鍵時期，我和家人約定好，我只用英文和Aidan說話，而爸爸用國語，至於奶奶則用台語（確保每個人都給予足夠的語言刺激），於是我們在他4個月大的時候就徹底的執行這個約定，不辜負我和家人的努力，他不但能在短短的時間內對不同的音做出反應，還能同時理解大量的詞彙，現在1歲多的他，中英文及台語都能通用，雖然表達能力還是有限，我已經能想像他之後話說個不停的樣子了！

貼心小叮嚀

這個時期寶寶的大腦是個語言海綿，雖然他還無法做太多的表達，但他無時無刻都在接收語言的訊息，記得每天都必須刺激寶寶的接收能力，等到他會表達的那一天，就能立即地運用他之前接收過的詞彙了。

促進寶寶語言吸收的遊戲

遊戲1 取名字（適合6個月以上的寶寶）

玩法

利用寶寶自己的學習動機，也就是當他自己在注視某個物品的時候，立刻鼓勵他注視的行為，你可以興奮的說，「車」或「爸爸在講電話」，這時候，關鍵字很重要，盡量避免太複雜的字句，讓寶寶可以抓到重點。

如果寶寶持續地注視，就繼續幫他描述或是重複說著物品的名稱，如果寶寶的眼神飄忽，對那個物品失去興趣也沒關係，因為這個遊戲是隨機的，所以只要觀察在寶寶有動機時替他說出物品的名稱，經過練習，寶寶看著物品的時間就會拉長，他的詞彙也會繼續增加喔！

遊戲 2

我說你做〔適合6個月以上的寶寶〕

玩法

‧有一種可以提升寶寶聽理解能力的方式，就是從聽一些簡單指令開始，你可以選擇1至3個指令是他日常生活中會常聽到且又符合他肌力的動作，透過你的肢體語言，讓寶寶從「看」來聽得懂你的指令。

‧如果你跟寶寶常玩一些互動性的遊戲，在遊戲中可以特別加入一些指令，例如，當你說「過來」時，可搭配招手的手勢；請他給你玩具時可以說「給我」，再加上用食指指著自己的手心；在這種視覺的提示下，寶寶很快的就會聽得懂你的話，也不會再依賴你的肢體動作了！

為何寶寶什麼都塞嘴巴？

爸媽提問

寶寶現在進入口腔期，什麼東西都往嘴裡塞，看起來很不衛生又危險，有必要制止他嗎？

寶寶的內心世界

我的嘴巴有的時候好癢，有的時候也好不舒服喔！沒想到把東西放到嘴巴裡的感覺這麼好！咦，每個東西咬起來的感覺都不一樣耶，我都想試試看！

專家這麼說

嬰兒會將自己的手、自己的小腳丫和任何他可以拿到的東西放進口中，是因為這對寶寶來說，是一個非常重要的發展時期，透過口腔，寶寶能探索他們的世界，感受到不同物品的材質與味道，從中獲得身心的滿足。

此外，把東西放入口中或許也是寶寶開始長牙的徵兆，大多數的寶寶都是在7個月左右才會開始長牙，但由於現在的寶寶攝取的營養比較多，有些寶寶在3個多月時就開始長牙了，這個時候，你會發現寶寶開始流口水，同時會隨時隨地的把東西往嘴巴裡放，其實那正是他們在舒緩牙齦不舒適的方法呢！

我記得在我兒子一出生後，他就有很強的口慾，但是有趣的是，他卻對奶嘴沒什麼興趣；後來Aidan進入了口腔期，我也和其他的媽媽一樣，買了不同的固齒器和寶寶們都愛的「蘇菲」，但是我兒子最鍾愛的，反而是他戴在手上的手套，小手套永遠沾滿了他濕答答的口水，一天往往要換上好幾次；那時我才體會到，每個孩子的需求都不一樣，適合別人的孩子並不一定適合我的孩子，從那之後，我不會為了要追隨別人的腳步而浪費錢購買不必要的固齒器，我盡量就地取材（例如，乾淨的紗布巾或湯匙），考驗自己的腦力及創造力，一樣地，可以滿足兒子身心上的需求。

貼心小叮嚀

口腔期是一個正常的發展時期，不要過於限制寶寶的發展，反而需要安全地引導寶寶度過口腔期才是關鍵，注意寶寶的活動環境，以乾淨和安全為優先考量，千萬要避免堆積或散落物品喔！

適合口腔期寶寶的遊戲

遊戲1

張口看世界（適合6個月以上的寶寶）

材料

數個不同材質的固齒器

玩法

- 利用不同矽膠、塑膠、木質的固齒器讓寶寶啃咬，以減緩牙齦的不適，若是固齒器的表面有不同的質地，更能滿足寶寶的需求。
- 當然，你也可以只選擇寶寶自己平常在玩的玩具、紗布巾或鐵湯匙，但是要特別留意玩具的尺寸，不能過小，還要避免容易掉漆的玩具，也不要將固齒器或玩具綁在太長的帶子上以免勒到脖子，當你已經做好安全措施，就讓寶寶盡情的咬玩吧！

遊戲2

冰冰按摩器（適合6個月以上的寶寶）

材料

固齒器、湯匙、喝水杯、冰水、冰塊、紗布、冷凍過的香蕉或蘋果泥

玩法

・冰的物品能舒緩寶寶的牙齦，同時也能緩解發炎，爸爸媽媽可以自己動手為寶寶製作一些冰涼的固齒器，方法是：

❶直接將固齒器或湯匙放到冷藏室冰。

❷將喝水杯裝入冰水讓寶寶喝一點冰水，或是直接將冰的水杯放置在寶寶的牙齦上。

❸以紗布包住冰塊或將冷凍的水果包裹起來，再讓寶寶自己啃咬著玩。另外，你也可以在洗手後，用手指幫寶寶輕輕地按摩不適的牙齦，按摩也能達到舒緩的效果喔！

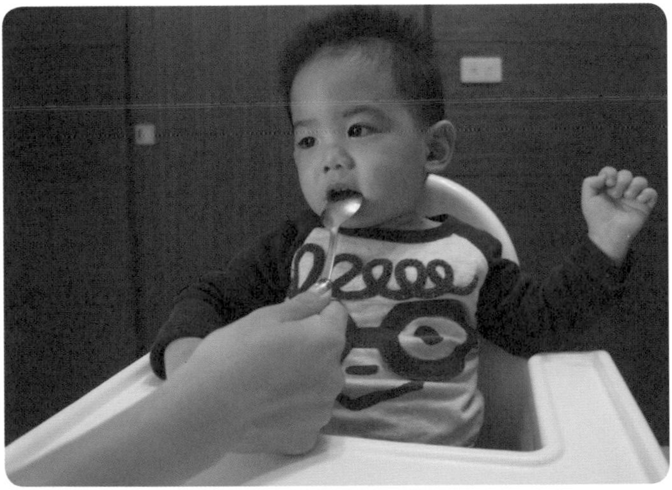

寶寶為什麼那麼黏人？

爸媽提問

我家寶寶一天到晚都黏著我，無時無刻都需要我注意他，好累人哪！有什麼方法可以讓寶寶不那麼黏我嗎？

寶寶的內心世界

我喜歡待在爸爸媽媽身邊，因為只有他們才會陪我玩，自己一個人好無聊喔！

專家這麼說

小寶寶們喜歡依賴在親人身旁是一個非常自然的現象，有些寶寶很需要大人的陪伴，有些則是愛黏在大人身上，也有些寶寶只是想找人陪他玩，不管他們的需求是什麼，給予適當和足夠的關注是必要的。不過，父母在這個階段也應該要有一個觀念，那就是陪伴不等於安全感，而是要讓寶寶理解當他有需求或有困難時，爸爸媽媽會在一旁滿足和協助他，有了這樣穩定的關係，寶寶才能獲得安全感。雖然寶寶還小，但是其實寶寶的獨立性是從小就可以開始建立的，但記住，你只是在教導寶寶如何學習自己玩和自己獨處的能力，不代表你不能陪他一同玩。

我是一位職業婦女，若是沒有教導兒子獨立，我可能真的需要三頭六臂才能把小孩、工作和家事搞定。不過，這麼小的寶寶，到底要如何學習獨立？這就要從寶寶的能力和興趣說起。

從小，我就培養 Aidan 看書的興趣，我們每天一定會有一個固定的時間看繪本和說故事，這一直是我們一天最快樂的時光，日子一久，Aidan 他自己會主動的拿書來看，專注在看書的時間也逐漸拉長，後來我慢慢加入了其他的小活動，包括教他如何操作簡單的教具或玩具，從中擴展他對其他事物的興趣，後來就算我離開去做家事，他也能自己獨處，我只需要偶爾回到他身旁讚美他，他就會給我一個滿足的笑容！

貼心小叮嚀

提升寶寶獨立性的重點，是引導他參與一些符合他年齡及能力的活動，並從過程中營造愉快的氣氛和提供他獨立進行活動的機會。一旦寶寶喜歡進行這些活動，他就會將焦點轉移在活動上，爸爸媽媽也就可以慢慢開始放手了喔！

發展寶寶獨立性的遊戲

遊戲1 我愛看書（適合6個月以上的寶寶）

材料

圖片簡單、鮮豔、字句少的繪本

玩法

・每天固定一段時間，營造一個適合看書和聽故事的環境，盡量清空環境中的玩具，避免寶寶受到其他的干擾，一次只擺放一本書，讓寶寶自己嘗試拿書和翻頁。

・一開始只要命名書本裡寶寶所看到的圖片，例如，小狗。當寶寶對某圖片特別有興趣時，可以放慢腳步，並做更多的描述，像是小狗在吃骨頭，記得運用簡單的字句，讓寶寶容易理解，但最重要的，是記得要經常重複相同的內容，因為你重複的越多，寶寶的大腦就越能做連結喔！

遊戲 2

我會自己玩（適合6個月以上的寶寶）

材料

一個安全的遊戲區和寶寶的玩具

玩法

- 幫寶寶設計一個專屬他的遊戲區，這個遊戲區應用軟墊圍住，放置的玩具也需是安全的。一開始陪伴在寶寶身旁與他一同玩耍，當寶寶投入在玩具上時，你可以漸進式的與他保持一些距離，如果他可以持續的獨立自己玩耍，要記得誇讚他，「寶寶，你好棒，你會自己玩玩具耶！」
- 當他向你表示他玩完的時候，你可以再帶著微笑回到他身旁，寶寶可以從這樣的練習學到兩件事：❶他可以自己玩，❷在寶寶有需要時，媽媽或爸爸一定會出現。練習多次後，你會發現寶寶能獨立自己玩的時間拉長了，你也能開始擁有一些自己的時間啦！

如何增進寶寶的社交技巧？

爸媽提問

寶寶開始與我們互動了，好開心！這時候的他還應該具備什麼樣的社交能力呢？該帶他去和同儕互動嗎？

寶寶的內心世界

我好愛我的爸爸和媽媽，我也好喜歡隔壁鄰居的姊姊，要怎麼做才能讓他們知道我的感受呢？

專家這麼說

嬰兒一出生，他們的社交情感就開始發展，而在7至12個月的這個時期，寶寶的社交能力更增進到了另一個發展階段，他會開始對他人產生興趣，也會跟人有更多的互動。從互動中，作父母的可以觀察到寶寶的個性取向，他是一個退縮的孩子，還是一個外向的孩子？當然，有些孩子的個性是天生的，有些則是受到後天環境所影響，個性雖然沒有所謂的好或壞，但是我們在生活中看到大部分成功的人都是社交能力較強的人居多，因此，社交技巧是孩子發展中不能忽視的一項能力。要記得，孩子已開始發展模仿能力，這時你的示範他都看在眼裡，多提供一些正向的經驗和榜樣，就能協助孩子練習該有的社交技巧。

我是個非常喜歡親密感的媽媽，每天一定會給兒子無數的擁抱和親親，有一天，我看到Aidan抱起他的玩具狗，摸摸牠的臉後就給牠了一個非常大的吻，當時我才領悟到他已經在我身上學習到愛人的表現；從此之後，每當我提議唸一本他喜歡聽的故事時，他都會主動地親我一下並說聲「謝謝」，這個小動作每次都會讓我心花怒放，同時也非常開心他這麼小就能有一顆感恩的心。

除了跟我有良好的互動外，我一直深信與他人正向的社交互動會對他帶來極大的身心影響，並造就他將來的人際關係和對於生活的態度，所以在他6個月的時候，我就讓他在我的教育中心裡，坐在他的搖椅上觀看其他的小朋友上課，多讓他對其他孩子有興趣，也讓他多吸收一些正向互動的訊息。這樣長期的累積，現在有語言和互動能力的他，雖是獨子，但還是非常樂意與他人分享他心愛的玩具和點心，這個成功的例子，讓我更確信良好的學習經驗和環境，是孩子正向成長的關鍵！

增進寶寶社交技巧的遊戲

遊戲 1

愛心遊戲（適合6個月以上的寶寶）

你知道擁抱和親親你的寶寶會讓他開心，同時感受到被愛，有安全感，但是他了解你對這種親密的接觸也會有相同的感受嗎？對人表露出情感是需要學習的社交技巧，一旦學會，這種相處的模式能讓親子之間的關係更緊密，也能促進寶寶往後同情心的發展。

玩法

- 爸爸媽媽可以先示範表露情感的方式，給寶寶一個擁抱或親親，再提供機會讓寶寶對你做出回應，對他說，「給我一個抱抱」，一開始你也許需要引導他做出抱的動作，讓他連結「擁抱」的含意，繼續地引導寶寶直到他自己嘗試主動給你一個溫馨的擁抱，記得對他的主動你要特別表現出驚喜和開心，這個反應會讓他更想常常讓你知道他有多愛你！

貼心小叮嚀

孩子的行為表現通常是父母的一面鏡子，你希望孩子將來要如何對待人，作家長的就要以身作則，一個人的品格養成，是從小就要開始學習的喔！

遊戲 2

哥哥姊姊小老師（適合7個月以上的寶寶）

寶寶不會一輩子跟著你，或一輩子只從你的身上學習，到了一個階段，寶寶會需要開始從觀察他人中學習新的能力，這時候，他需要你的引導，激發他對別人的興趣是另一個成長的開始！

玩法

- 安排一個遊戲的時間，邀請寶寶的手足或其他小孩一起參與，營造新鮮感，給手足一個寶寶之前沒有接觸過的玩具，並讓寶寶在旁觀看手足的動作，並誇讚手足，「哇！姊姊打鼓打得好好聽喔！」這會促使寶寶對他人感興趣，提升他的觀察力。
- 接下來將玩具拿給寶寶，讓他也嘗試敲打，別忘了這時的稱讚很重要，多輪流幾次，寶寶對觀察他人的時間就能愈來愈長，你也會發現寶寶開始能從他人身上學習新技能了喔！

如何刺激寶寶的語言學習動機？

爸媽提問

寶寶只會發出一些聲音，但是這些都是無意義的音，什麼時候他才會開始叫爸爸或媽媽呢？現在教他會太早嗎？

寶寶的內心世界

我好想跟你們說話啊！爸爸媽媽可以用簡單一點的方法教我嗎？

專家這麼說

嬰兒早期發的音與現階段發的音其實有它的差異性，現階段發的這些音雖然聽起來像似無意義，但若是你仔細觀察會發現，孩子是不是在某個情境裡會特別地想嘗試發音，這個時候，他發的音應是具有特別意義的，只是你聽不懂罷了！

皆大歡喜的是，有發音總比沒發音好，孩子若是能發出多種不同的音，就表示他有基礎的發音能力，能協助他在語言學習上更順利。這時，多注意你的寶寶，記錄下他能發的音，當他發出新的音時，要記得給予他稱讚和關注，孩子就會有動機繼續地嘗試，漸漸地他就能準備好學你說話了喔！

身為一個行為分析師，我擁有相當敏銳的觀察力，當然，這個職業病就常常出現在我帶孩子的時候，但我從不會刻意地去確認自己的孩子是不是符合一般的發展指標，或拿他跟別的孩子做比較，因為每個孩子都有他自己的步調，我只喜歡觀察兒子對任何事物的反應，再利用美國研究過的教學策略來提升他的能力。

在語言學習的這條路上，男孩子的語言本來就比女孩子發展得慢，我重視的，並不是他會說多少話，而是他說話的意願高不高？因為當孩子有動機時，他才會更想學習，所以，我會仔細觀察他當下的能力，在他有困難時，給予適當的協助和鼓勵，同時，我也是他最忠實的啦啦隊，他的每一個小進步我都會為他大聲歡呼！

貼心小叮嚀

寶寶剛開始學說話時，疊字對他們來說是最容易發音，為了要讓寶寶有動機說話，這時候不必特別糾正他們，直到他們的話開始多了，父母對寶寶說話的方式就盡量以一般說話的方式為主，讓他們學習正確的詞彙。

提升寶寶語言學習動機的遊戲

遊戲1 我說你仿（適合7個月以上的寶寶）

玩法

- 這個遊戲是利用寶寶已會發的音節去引發其他新的音節，假設你的寶寶已經會發「ㄅㄚ」、「ㄇㄚ」和「ㄚ」等音節，爸爸媽媽可先引導寶寶快速的先模仿這三個他熟悉的音，當他能成功的連續仿出這些音節，就立即在這個時候說出另一個音節，例如「ㄨㄧ」，這個遊戲的重點是要以快速的方式進行，你會發現有時候寶寶在不經意的情況下發出一個新的音節，還會因此表現出一副得意的樣子呢！
- 有些寶寶，喜歡在鏡子裡觀察自己的表情，透過一面鏡子，寶寶能在發音時注意自己的嘴型，他也會更想學習喔！

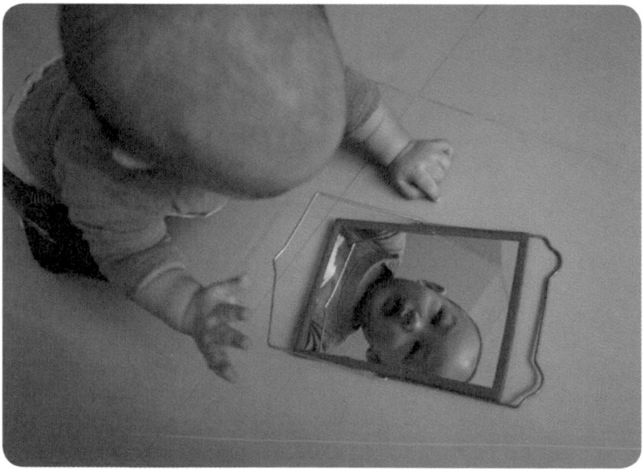

遊戲2

音節大組合（適合10個月以上的寶寶）

玩法

• 當寶寶已經跟著你說不同的音節時，代表著另一個語言學習的階段即將開始。你可以示範如何將不同的音節組合起來，成為有意義的詞彙，例如，「外公」或「風車」。

• 帶著寶寶練習組合最簡單的方式，就是讓他先分開說兩個音，就如你說「風」，他跟著說「風」，接著你再說「車」然後再讓他模仿你說「車」，一旦他能分別仿說這兩個字後就立即的接著說「風車」，要記得在他重複你的話後讓他知道他有多棒！

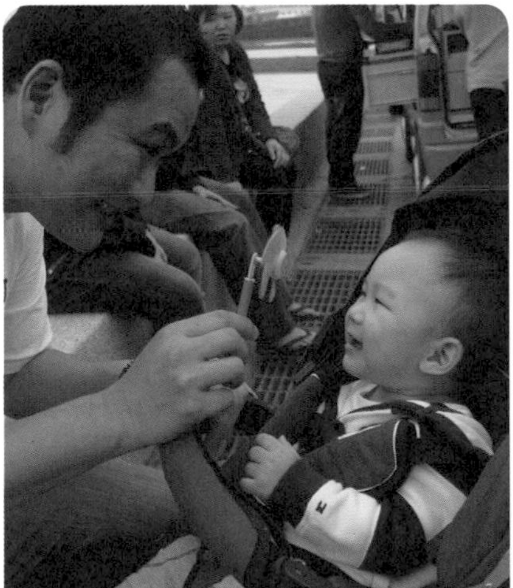

貼心小叮嚀

在教寶寶學習組合音節前，要先確定寶寶會模仿分開的音節再進行組合的練習，這是避免寶寶因為挫折感而影響他說話動機的方法喔！

寶寶一定要爬行才會聰明？

爸媽提問

寶寶現在會爬了，但是到處爬來爬去的，一點都不受控制，我好怕他爬到不該去的地方，萬一受傷了怎麼辦啊？

寶寶的內心世界

喔耶！我現在不必一直待在我的搖搖椅或床上了，我終於可以想去哪就去哪了！

專家這麼說

當寶寶一開始會爬行，爸爸媽媽一定會為寶寶感到開心與驕傲，有時這個新鮮感很快地就會被擔心寶寶的搗蛋行為取代，但這是一條無法避免的必經之路，也是寶寶正常發展的指標，不如趁這個時候，提供機會鍛鍊他的大肌肉，替他為以後走路做好準備工作！

我們常聽到老一輩的說寶寶會「七坐八爬」，我兒子Aidan卻是「五爬六站」，怎麼做也無法制止他，我深怕這會影響了他其他的發育，直到有一天，我看著他自己扶著桌緣站了起來，才突然意識到要尊重他的腳步，因為我們永遠無法催促孩子，叫他們做不符合能力範圍的事；相對的，若孩子是有能力的，我們也不應該給予太多的限制；扮演好父母的角色，就是在有基本的原則之下給孩子空間，協助孩子，陪伴他，在這條成長的路上。

貼心小叮嚀

寶寶如果沒有經歷過爬就會走，是否會有影響？有一些寶寶會跳過爬行的階段，直接學習走路，這個狀況並不會造成太大的影響，但是嬰幼兒發展專家還是建議家長盡量陪伴寶寶進行一些爬行的遊戲，以助於腦部及四肢肌力的發展。

鼓勵寶寶爬行、行走的遊戲

遊戲1 征服障礙路（適合9個月以上的寶寶）

材料

幾個枕頭、一個空紙箱、幾個玩偶、一條棉被

玩法

- 將準備的障礙物分別放置在一個寬敞的空間，設計一個寶寶能往一個特定方向爬行的動線，並帶寶寶到起點，然後自己再站在終點，讓寶寶可以看到你，鼓勵寶寶過山洞（進出紙箱），爬上枕頭，或繞過玩偶和棉被。
- 記得持續地為他加油，並在需要時給予一些協助，到終點時別忘了大聲歡呼！當寶寶熟練後，你可以調整障礙物的位置，讓每次的挑戰都有新的變化！

遊戲 2

一步一腳印（適合9個月以上的寶寶）

材料

空紙箱、小椅子或小推車

玩法

• 當寶寶能自己扶著東西並站起來的時候，他就進入了另一個探索的階段，寶寶會更好奇地想藉由他現有的能力去探索環境，雖然這時候他的雙腳還未能給他完整的支撐，爸爸媽媽可以提供一些能給予他支撐的玩具，讓他在平滑的地板上嘗試以推的方式向前走動。

• 在這個遊戲的過程中，特別留意寶寶的反應，跟隨著他的步調，在他的生理狀態可以負荷下，讓他嘗試行走幾分鐘，倘若他一嘗試就失去興趣，就給他一點時間，等他準備好了，他自然而然的就會迫不及待地推著推車到處趴趴走了！

貼心小叮嚀

有些家長會擔心孩子太早站立或學走路會造成O型腿，其實寶寶們雖小，但他們都知道自己的底線在哪，他們的腿部一定是有力氣才能夠站得起來，所以不必太緊張，只要注意凡事不要過量就好。

何時適合讓寶寶自己吃飯？

爸媽提問

我很早就想訓練寶寶自己拿湯匙吃飯，可是他拿的還不夠穩，我是否太心急了呢？這麼早訓練會不會對他不好呢？

寶寶的內心世界

媽媽給了我一支好奇怪的東西，每次吃飯的時候都要我用那支怪怪的東西，它好難用啊！我的飯都一直掉下來，害我都吃不到！為什麼不能直接用手拿呢？

專家這麼說

拿湯匙吃飯其實是個需要大量練習的動作，這個動作需要運用到寶寶不同的肌力和能力，其中包括了抓握湯匙，運用手眼協調能力將湯匙放入碗中，再透過手腕轉動和前臂的翻轉來挖取碗內的食物，以及在抬起手臂後，伸直和彎曲手肘並將食物送入口中，這些分解步驟代表了我們不能單單只看餵食的這個動作，而是應該要幫寶寶建立一些基礎的能力，那麼寶寶學習拿湯匙吃飯的過程才能順利。

寶寶的日常生活中，其實有很多的活動都會運用到手部肌肉的練習，不論是拖著玩具熊爬來爬去、從櫃子中拿出玻璃杯，或是撿地上的小垃圾，都是在鍛鍊他的肌力，只要爸爸媽媽每天都能在生活裡融入練習的機會，這些紮實的基礎一定能顯現在他往後的生活自理能力上喔！

因為了解拿湯匙吃飯是個既複雜又不簡單的動作，我其實並沒有要求兒子在很小的時候就要練習自己吃飯，我倒是比較積極的讓他練習一些必要學習的精細動作，例如，強化他手腕的力道、手指的拿捏、手臂的轉動和手眼協調的能力，希望在他建立好這些能力後，能讓他輕鬆的運用在生活自理的活動中。

製造這些學習機會其實很簡單，我常常會把以前製作教具的經驗套用在不同的活動中，好比把 Aidan 喜歡的小物件用膠帶貼在椅子下或是把照片貼在牆壁上，讓 Aidan 利用手腕的力量撕下或拔下物件，或者是把厚紙板戳上幾個小洞，放上用牙籤戳上的小豆子讓他練習用手指做出拔起的動作，只要有一點的想像力，我的寶貝兒子可以玩得開心，還能從遊戲中鍛鍊肌力，真是何樂不為呢！

寶寶的手部精細動作遊戲

遊戲1

把手當筷子（適合7個月以上的寶寶）

材料

兒童座椅、托盤、煮熟的青豆或嬰兒食用的小餅乾

玩法

- 每天設定一個固定吃點心的時間，讓寶寶坐在座椅上，放上乾淨的托盤，讓寶寶嘗試利用手指自己餵食，這個抓捏的動作是寶寶現階段需要學習的精細動作，多練習有助於往後餐具的使用，同時也能促進他手眼協調的發展。
- 為了提升寶寶的學習動機，點心時間盡量避免設定在寶寶吃飽飯後，選擇的點心也要挑選寶寶特別喜愛的喔！

貼心小叮嚀

手部精細動作的訓練能促進腦部的發展和連結，千萬不要什麼都幫孩子做好，剝奪了他學習的機會喔！

遊戲2

眼明手快（適合9個月以上的寶寶）

材料

紙盒或塑膠容器、幾個寶寶喜歡的小物件

玩法

- 讓寶寶舒適地坐在地板上，將裝有小玩具的容器放置他的面前，示範如何將小玩具從容地一一從容器中拿出，直到剩下最後一個玩具時，停頓一下，再提示寶寶拿出剩下的玩具；待拿出所有的玩具後，再開始將玩具一一放回容器內，運用同樣的步驟，讓寶寶嘗試獨立放入最後一個玩具。
- 當他了解了這個遊戲的概念，你可以再提供他更多次獨立嘗試的機會；另外你也可以將遊戲多變化，例如，運用不同大小的塑膠碗，引導寶寶將一個個碗堆疊起來，在寶寶不注意的時候，在每個碗下放置一個小驚喜，你將會捕捉到他拿起那瞬間驚訝的可愛表情。

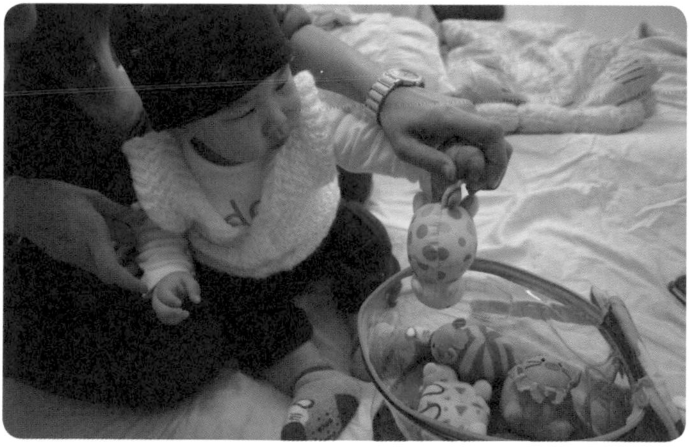

如何戒掉寶寶愛亂抓物品的習慣？

爸媽提問

只要一抱起寶寶，他就會抓我的項鍊、頭髮或眼鏡，跟他說「不可以」也沒用，這個壞習慣要怎麼幫他改掉？

寶寶的內心世界

媽媽頭上的線好長喔！她脖子上亮晶晶的是什麼？為什麼她臉上要戴兩個圈圈？這些都是我的新玩具！

專家這麼說

抓、拉、扯、撥弄……這些都是寶寶正常的動作，你是無法制止他的，對他而言，你的眼鏡、頭髮和項鍊都是他的玩具，他可能曾經拉過你的頭髮，而你當下的一聲尖叫令他覺得抓頭髮原來是件好玩的事情，於是他放聲大笑，你也跟著笑了起來。哇啦！好玩的因果遊戲就因此誕生了，從那次的經驗之後，寶寶會嘗試抓你來得到你的反應，而你，若是繼續做出反應，不論是負面或正向的反應，都會跳入寶寶的陷阱裡；減少這些動作最好的方式，就是不要做太大的反應，或利用當下的玩具或環境轉移寶寶的目標，爸爸媽媽請放心，這個惱人的時期很快就會過去的！

在幼教這個行業待久了，有幾支魔法棒是我在帶孩子時絕對不能缺少的，第一個就是要**學習觀察孩子**，從觀察中就可以更認識孩子，了解為什麼孩子會有一些特別的行為；第二個就是**轉移孩子的注意力**，尤其是當孩子還小，表達能力弱和較無自我控制能力的時候，引導孩子把焦點轉移，可以幫助他們跳脫出負面的行為或情緒的循環；第三個就是要**一貫性地執行現下決定的教養方式**，才不會混淆孩子。

關於抓頭髮的這件事，它曾經也是我當媽媽的一個必經過程，還好我有這三支魔法棒，讓我觀察到了這個行為的緣由，再加上我轉移目標的功力足夠，才幾次他馬上就發現抓頭髮並不好玩，這個惱人的時期也順利地被我的魔法棒征服了！

貼心小叮嚀

有一些寶寶的行為都是家長和孩子必經的過程，建議爸爸媽媽不要因為這些行為而大發脾氣，只要常常運用轉移注意力的概念，你就不會被困在負面的情緒裡！

轉移寶寶想抓、拉人的遊戲

遊戲1

玩具變變變（適合7個月以上的寶寶）

材料

幾個寶寶可抓握的玩具

玩法

你要有很快的反應才能順利的進行這個遊戲，要多快呢？就是要比你寶寶伸出手的動作還快！準備好幾個玩具在身邊，外出時也隨身攜帶在你的媽媽包裡，每當你抱起你的寶寶前就要做好準備，你可以給他一個玩具後再將他抱起，或者你也可以先抱起他再立刻給他一個玩具，讓他還是可以達到抓握的目的，但是如果你的反應慢，常常都不會成功，可能對你來說，更簡單的方式就是乾脆把頭髮綁起來，項鍊藏在衣服裡，讓他根本沒機會抓到你！

遊戲 2

我會拔河（適合9個月以上的寶寶）

材料

幾個枕頭、一條圍巾或毛巾

玩法

- 藉由寶寶現有的抓握及拉扯能力，爸爸媽媽可將他拉扯的這個動作轉換為一個專為他設計的遊戲。
- 讓寶寶坐在舒適的軟墊上，放幾個枕頭在他的背後以作為支撐，讓他抓握好毛巾的一端後再坐在他的對面，輕輕地拉扯毛巾，讓寶寶體驗被拉扯的感覺，之後再協助他往後拉，一旦他開始自己用力地與你拔河，你就可以趁機誇張地往後倒，這時你的寶寶一定會被你逗得哈哈大笑！

為什麼寶寶喜歡往下扔東西？

爸媽提問

真受不了妹妹常常把桌上的東西撥到地上，不然就是拿東西亂丟，阿嬤說這個小孩要是不好好教以後就是個沒家教的小孩！該怎麼教呢？

寶寶的內心世界

哇！用手一扔，這東西就會往下掉耶！怎麼會這麼神奇？東西碰到地板的時候，有的會滾開，有的不動，有時候還會發出怪聲音耶！我每個都要試試看，看看還會發生什麼事！

專家這麼說

在這個階段，寶寶是透過探索環境來學習的。因為寶寶們有個別差異，探索的方式就會不同，有的會丟東西，有的會到處爬，有的還會把櫃子的東西全部搬出來。在父母的眼裡，會認為這是惱人的行為，但若從發展的角度來看，卻是孩子正在健康成長的指標，所以千萬別只為了自己的方便就禁止寶寶以他們自己的方式學習，在這個時候，父母反而應該另外營造學習的環境，讓寶寶從遊戲中繼續發展他們的能力。

我的兒子從小肌力就很發達，所以把東西到處亂丟是他每天必做的事，我不但不會制止他，反而鼓勵他多練習「丟」的動作，爸爸可真開心，那是因為他希望 Aidan 長大可以當個投手像王建民一樣，而我只是單純的想滿足他生理正在發展的需求。有一次，我無意間觀察到 Aidan 丟保特瓶的表情，就在保特瓶落地的那一瞬間，他露出了一個驚奇的表情，好像他意識到了一個因果關係，於是他就重複丟了好幾次，並仔細地看著保特瓶落地的樣子，我當時心裡暗喜，沒想到訓練他肌力的同時還能學習因果關係啊！

貼心小叮嚀

寶寶亂丟東西，令父母煩惱的是，這些東西到底是誰要收拾啊！其實這又是另一個很好的學習機會，等到寶寶玩累了，引導他如何將物品歸位（例如，帶著他把玩具放置到櫃子裡），這不僅又是一種肌力的練習，還能教寶寶養成收拾的好習慣喔！

有助寶寶練習肌力的遊戲

遊戲 1

瓶瓶罐罐滾滾趣（適合8個月以上的寶寶）

材料

兩個空的保特瓶、水、沙

玩法

・將水和沙分別裝入保特瓶，倒放在地上。讓寶寶趴在地上，滾動保特瓶讓寶寶觀看，沙和水的聲音會吸引寶寶的注意，這時帶著寶寶的手推動瓶子，當他自己想嘗試的時候，爸爸媽媽就放手讓他自己試試吧！

・建議一開始只放少許的水或沙，讓寶寶能成功地推動瓶子，寶寶在能推動瓶子的情況下才會有動機繼續玩，等到孩子熟練了，就可以漸漸放入更多的水和沙來挑戰寶寶的肌力。

遊戲 2

大樓倒了（適合9個月以上的寶寶）

材料

數個空的牛奶紙盒和小紙盒、不同顏色的色紙、剪刀、膠水或膠帶

玩法

・將牛奶紙盒清洗乾淨並晾乾，剪下開口再往內摺，做成盒子的形狀，你可以用不同顏色的色紙包裝盒子，會讓寶寶對你製作的積木更有興趣！

・讓寶寶坐在地板上，把紙盒積木分散在他身旁，示範如何將積木一個一個堆疊成一棟大樓，過程中盡量讓他一起參與，當大樓建蓋完時，寶寶最愛的時間就是現在了，讓他自己將大樓推倒，這個玩法的效果就如撥倒東西在地上，寶寶會非常開心，爸爸媽媽也可以一同歡樂喔！

寶寶是否需要上坊間的感統課？

爸媽提問

坊間很流行讓幼兒上感覺統合的啟蒙課，7至12個月的小寶寶適合嗎？上課的孩子會比較聰明嗎？

寶寶的內心世界

我還小，我比較喜歡跟媽媽和爸爸在一起玩，可以放慢腳步，不要那麼急著送我去上課好嗎？

專家這麼說

一般坊間的課程，都有一定的年齡限制，通常需要兩歲以上才適合參與，當孩子年齡未到或能力還不足時，硬要孩子去上課反而會造成他們的負擔，易產生反效果可能會為家長們帶來更多的煩惱，所以家長先不用心急，其實在家裡也可以營造很多機會，讓寶寶從遊戲中達到同樣的啟蒙效果，不僅如此，家中玩遊戲其實好處多多，爸爸媽媽可以為寶寶設計適合他的遊戲，並依寶寶自己的步調進行，加上家裡是孩子熟悉又有安全感的地方，玩起遊戲會更自在，親子之間的正向關係也更容易建立。

現在小朋友的課程愈來愈多，雖然都很吸引人，但我還是寧願利用我平常僅有的時間跟兒子相處，因為時間流逝的很快，他不會永遠維持現在的可愛模樣，我一直相信，留下美好的親子回憶要趁現在，所以就算我再忙，也會撥空給我的寶寶，陪他一起玩遊戲，讓他感受到我給他的關注和愛。在家裡可以玩的遊戲很多，就連感統遊戲也可以在家設計，有一個前庭覺的遊戲我們常常玩，就是讓兒子趴在大球上，再輕輕的左右搖晃，從中促進他對身體的意識與協調，每當我們玩這個遊戲時他都會哈哈大笑，對我來說，這是何等珍貴的時刻啊！

貼心小叮嚀

一般的孩子並不需要特別上感統的課程，其實說明白點，寶寶在發育期就是需要大量的感官及動覺的刺激，少了這些刺激，寶寶肢體的協調性、專注力、學習力及情緒，都會因而受到影響，因此，建議家長將感統的概念融入在生活中，豐富寶寶的學習過程，給寶寶一個周全的發展。

寶寶的居家感統遊戲

遊戲 1

感統山洞（適合8個月以上的寶寶）

材料

2個大紙箱、細繩幾條、膠帶、不同觸感的小物件（例如，海綿、塑膠球、緞帶）

玩法

1. 將兩個紙箱組裝成山洞，在兩個紙箱的銜接處以膠帶固定，山洞就完成了。
2. 將細繩黏貼在小物件上，再將細繩的另一頭分別貼在山洞的上方，讓物件垂下，當寶寶爬行經過時，這些小物件會在他身上產生不同的觸感。

* 請注意，如果物件垂吊太低，可能會阻礙寶寶爬行，他有可能會不再繼續前進，或是開始退縮；不過，也有一些寶寶會開始發展出解決問題的能力，他們會嘗試將阻礙物撥開，繼續向前。

遊戲 2

自製溜滑梯（適合9個月以上的寶寶）

材料

沙發、枕頭、大型紙箱、刀片、膠帶

玩法

- 將紙箱用刀片割開，再切割成長形和適合寶寶坐的寬度，爸爸媽媽可以多加上幾層的厚紙板，再黏上膠帶，使溜滑梯更加穩固。
- 將製作好的溜滑梯靠在沙發上，以膠帶固定，溜滑梯下方放置枕頭以作為支撐點，並在溜滑梯的最底部放置一個枕頭，讓寶寶能舒適地著地。
- 接下來，遊戲即將開始，爸爸或媽媽坐在寶寶的背後，雙手放在寶寶的腋窩下支撐他的身體，再讓他從上滑下，持續支撐著他，直到他自己願意嘗試溜滑梯。

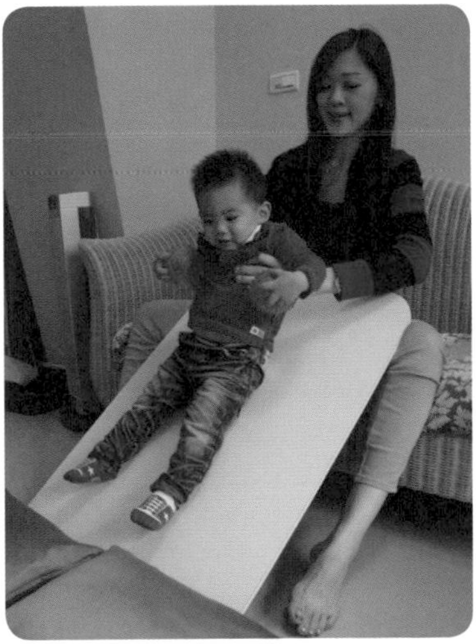

貼心小叮嚀

如果寶寶是第一次嘗試溜滑梯，快速的滑行會讓有些寶寶受到過度刺激，所以一開始速度要放慢，溜滑梯的高度也盡量降低，寶寶若是有正向的反應，你可以再調整高度與速度。

媽媽手記

第4章

1～2歲 寶寶啟蒙遊戲

引導第一個小大人期

辛苦的爸爸媽媽們，你的寶貝就快要 2 歲囉！就在這過去的一年裡，因為你不斷的引導，寶貝學到好多新的能力，他也愈來愈像個小大人了，當然，有時候他可能會讓你傷透腦筋，但這都是成長的一個過程，他也在從這個過程中學習如何做自己，每一個你所教他的能力都在輔助他向前邁進喔！

1~2歲衝動寶寶的行為發展

當寶貝各方面的能力逐漸提升時，你會發現你又面臨了許多新的挑戰，這些挑戰不僅帶給你歡樂，同時也帶給你無數的困擾。觀察一下你的寶貝，現在的他，是不是已經開始跟你建立了一些固定的互動模式，好比說，他會以哭鬧來得到他想要的，儘管你受不了，最後還是投降；當他做一件令你頭痛的事情，你說的「不可以」可能只有在當下見效，幾秒鐘後他就忘得一乾二淨，同樣的問題卻屢屢再犯；跟別人在一起相處的時候，動不動就推人、打人、搶東西，軟性勸說和硬性的「講道理」寶貝都不吃那幾套，你的教養法寶似乎都已耗盡，還是無法把之前的小天使找回來。

其實在兩歲以前，寶貝的自我意識便開始發展，他們會衝動地想什麼就做什麼，不會先經過思考再行動，更不會分辨何謂「對」和「不對」，父母在這時候千萬別誤解寶寶是故意在調皮搗蛋，也不要認為是自己沒把孩子教好，寶貝只是目前還缺乏語言的表達能力和理解力，所以一般的教養方式還行不通；因此，提升寶貝的基礎能力在這時期是關鍵，當寶貝有足夠的理解能力，再搭配你漸進式擬定的規範，寶貝會願意接受和學習，你也會教養得輕鬆！

1～2歲寶寶的發展

	12～18個月	1.5～2歲
語言發展	☺ 聽得懂一兩種簡單的指令（例如：拿玩具給我） ☺ 模仿你說的話 ☺ 會說幾個字	☺ 會用「是」和「不是」來回答你 ☺ 看到認識的物品或人會說出正確的名稱 ☺ 更加準確的模仿你說的話 ☺ 開始使用短句
社交和情感發展	☺ 對遊戲產生興趣 ☺ 喜歡接觸其他小朋友並模仿動作 ☺ 喜歡感受不同觸覺的玩具	☺ 喜歡玩扮演遊戲和模仿遊戲步驟 ☺ 偶爾會有發脾氣或不聽話的行為 ☺ 開始表現獨立行為
日常生活技能	☺ 可自己用杯子喝水 ☺ 使用餐具 ☺ 學著自己穿或脫衣服 ☺ 堆蓋及倒出物品	☺ 尿褲子或想上廁所時會告訴你
認知發展	☺ 透過形狀和顏色來分類 ☺ 辨識熟悉的人／物品 ☺ 認識一些身體部位	☺ 漸漸的學會數數 ☺ 開始會拼圖

如何鼓勵寶寶開口表達？

爸媽提問

寶寶一歲八個月，已經具備些許說話能力，但卻還是時常用尖叫或哭鬧的方式來表達需求，該怎麼辦？

寶寶的內心世界

我好想要哥哥的玩具，「哇……嗚……」，媽媽把玩具給我了，真開心。桌上有我喜歡的餅乾，我好想吃啊，「哇……嗚……」，咦！媽媽拿了一個餅乾給我；原來用哭的就可以得到我想要的東西啊！

專家這麼說

以上的例子，當爸媽的應該都很熟悉，當寶貝一哭，爸爸媽媽一定會立刻心軟並嘗試以各種方法來滿足孩子的需求，但是就在那一剎那，就會讓他學到了用「哭」來得到他想要的物品或是達到他的目的，這下子，哭鬧就成了寶貝的秘密武器，心臟再強的家長也招架不住了！別小看你的寶貝，他學得非常快，所以從現在開始，爸媽就要開始注意自己的言行舉止，你的一個表情，一個動作甚至一個語氣，都會影響寶貝的行為表現。

利用寶貝語言正在發展的時期，不妨盡量讓寶貝嘗試以語言來表達需求吧！不過，因為寶貝的語言能力有限，引導的方式也應依他的能力作調整，例如，已經有仿音能力的寶貝可以學習如何透過說話來表達；尚未有仿音能力的寶貝則可以透過其他的方式，像是肢體或是手語的方式讓別人理解他的需求；當寶貝發現原來透過其他方式還是可以被滿足時，他會開心地知道別人能了解他，爸爸媽媽的生活也會變得更輕鬆喔！

我很清楚自己的底線，因為了解自己會受不了愛哭的小孩！所以在 Aidan 開始有能力表達的時候，我就只有在他使用適當的方式表達需求時才會回應他。在 Aidan 還沒有口語能力時，我會帶著他的手指出他想要的，並在替物品命名後（像是告訴他，「電話」）才會給他；直到他開始會發聲了，我就會要求他至少要發一個音，他才能獲得他想要的；長期下來，這樣的教導方式塑造 Aidan 成為一個會以適當的方式表達需求的孩子，我們的親子關係也不會一直旋繞在負面的情緒裡！

鼓勵寶寶口語表達的遊戲

遊戲1 我會用說的（適合1歲以上的寶寶）

材料

寶寶喜歡的二個玩具

玩法

- 當寶貝會模仿一些音節時，他就可以開始學習如何運用在溝通上，第一個步驟就是先拿兩個玩具或物品給寶貝看，當他看著某個玩具，或伸手想要拿玩具的時候，先幫他說出玩具的名稱，例如「布偶」再讓他跟著你仿說；如果你的寶貝才剛剛開始學習模仿發音，不用太心急，只要他願意發出類似的音你都需要立刻將玩具給他，讓他理解用「說」的就能得到他想要的。
- 如果孩子現階段還不會模仿發音，你還是可以先說出玩具的名稱，並帶著他用手指以指認的方式來表達；等到他的能力發展後，寶貝自然而然就會開口用說的。
- 持續地練習讓他跟你模仿5次後，接下來只要將玩具擺放出來，接著就觀察寶貝是否可以自己獨立表達他想要什麼，有時候，寶貝也許需要多次的練習，才能自己把物品名稱說出來，記得要耐心陪伴，寶貝說話的意願才會提升喔！

遊戲 2

我要……我要……

〔適合1歲3個月以上的寶貝〕

玩法

・這個練習遊戲適合已經玩過「遊戲1我會用說的」的孩子，寶貝如果之前有一些成功的經驗，這個遊戲就不會造成他太大的負擔，反而會讓他快速地學習以說話的方式來表達需求。你可以每天設定15至20分鐘作為這個遊戲的時間，在這段時間內，他所有的需求都必須要透過適當的表達才能被滿足。

・先告訴寶貝，我們要玩一個說話的遊戲——要說才能做的遊戲，任何寶貝的動作都需要嘗試說說看。例如，當他想從椅子上站起來去櫃子前拿玩具的時候，爸爸媽媽必須先擋住他再讓他跟著你說，「起來」，只要寶貝一跟著仿說，就讓他站起來；接下來他要跟著你說「玩具」，你才能給他玩具；玩玩具的時候，先讓他享受玩的樂趣，在他還沒失去興趣前，依照玩具的屬性，你可以讓他跟著你表達更多的需求，例如，「轉開」、「按按鈕」或「敲一敲」，這個遊戲好玩的地方就是你們可以發掘多種玩具的玩法，寶貝還可以從當中大量的學習如何表達需求喔！

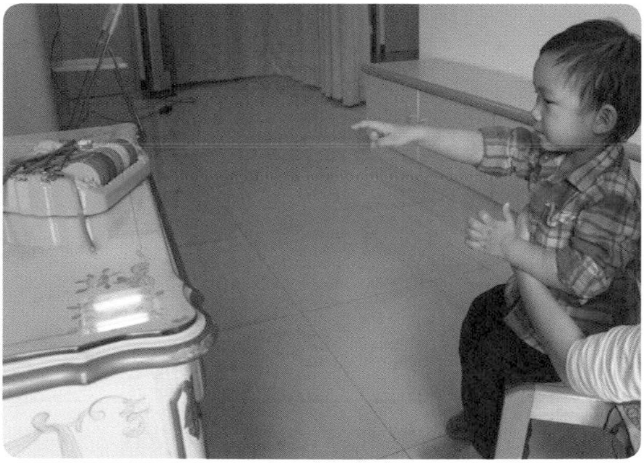

如何促進寶寶的語言發展？

爸媽提問

寶貝一歲五個月了都還不會說話，別的寶寶都已經會說幾個字了，好擔心他語言發展遲緩啊！

寶寶的內心世界

爸爸媽媽不要心急，我只是慢了一點，請你們要有耐心，給我一點時間和多一點的刺激。

專家這麼說

每個孩子開始說話的時間點都不一樣，有的在一歲前就能嘰哩呱啦地表達，有的則要等到快兩歲才開始會發出一些音節，還有一些孩子因為腦部因素而真的有語言上的障礙，無論孩子是什麼狀況，在還未帶

貼心小叮嚀

如果孩子在語言發展期上比一般孩子落後6個月以上，建議就要趁早去與醫生諮詢、評估，不要拖延，也不要存有大雞慢啼的心態以免耽誤了孩子療育的機會。

孩子進行語言評估前，提供適量的語言刺激是必要的。

檢視一下家裡的環境及平常你與孩子的對話，孩子在家時你都是放著讓他一直看電視，或是交給外傭照顧？還是本來平常與孩子的對話量就很少？假設你有和孩子說話，那麼內容有變化嗎？使用的字彙多嗎？語言能力是需要長期累積的，就如同一株幼苗，每天都要灌溉它，透過細心的照顧及努力的付出才會豐收。

男孩的語言發展原本就比女孩慢，加上Aidan從小就同時接收英文和中文教育，所以發展速度就更慢了。美國的研究顯示，學習雙語的孩子一開始在語言發展上會較為緩慢，那是因為兩種語言的發音和文法都不同，孩子在同一時間需要接收和消化兩種語言的用法的確有它的困難。不過，學習雙語的孩子還是能在日後追上，增進雙語學習的關鍵在於孩子是否處在一個豐富又多樣化的學習環境，而雙語的刺激應是給的愈平均愈好。

以我兒子的例子來說，他全天都待在我身邊同時又在我的教育中心上課，他每天都會接收雙語的刺激，雖然我全程跟他說英文，但因為他的老師和同學都說國語，回家後爸爸也說國語，所以他練習國語的機會較英文多很多，因此他的國語表達能力遠勝於英語。不過，我並不心急，因為我每天都持續地以英文和Aidan說話及說故事，所以雖然他不擅長以英文表達，但是他卻能理解我的意思，用中文回應我，這也是因為長期累積換來的美好成果，相信等到他準備好了，自然而然的我們就能透過英文對話了。

營造多元語言刺激的遊戲

遊戲1

語言新體驗（適合1歲以上的寶寶）

玩法

・誰說語言只能在家練習，換一個環境學習，寶貝會覺得更有樂趣，在寶貝精神狀態好的時候，帶著他去超市，讓他坐在購物車裡，享受視覺上繽紛的刺激。

・爸爸媽媽可以在超市的每條走道裡尋寶，架子上的每一樣物品都是免費的教材，你可以替它命名或引導寶貝跟你一起說出物品的名稱，讓他接收多樣化的刺激，並學習表達的能力。

・你可以運用相同的概念在不同的環境裡，像是公園、百貨公司、博物館、動物園等，都有豐富的教材等著你去挖掘喔！

遊戲 2

音樂填空題（適合1歲6個月以上的寶貝）

材料

寶貝喜愛的童謠、玩偶

玩法

- 這個遊戲需要運用幾首寶貝熟悉的歌曲，盡量選擇寶貝聽到時較有反應的曲目，先唱給寶貝聽，唱到一個段落結束之前，刻意漏掉幾個字並暫停一下，例如，「大象，大象，你的鼻子為什麼那麼長？」給寶貝機會讓他接著唱，「媽媽說……」後你再繼續把歌唱完，「鼻子長才是漂亮。」
- 透過歌曲，寶貝比較會專注，再加上讓他自己填空，他會發現原來說話是這麼有趣的事喔！

生活中怎麼培養孩子的專注力？

爸媽提問

買了一大堆玩具，寶貝才玩了幾秒鐘就換別的玩具玩，一下子就對玩具沒興趣了，他專注的時間也太短了吧?!難道要一直花錢買新玩具嗎？

寶寶的內心世界

爸爸媽媽買了好多玩具給我，到底要玩哪個呢？好難選擇啊！我每個都想玩一下，這樣換來換去好刺激，我也不會感到無聊了！

專家這麼說

想要培養寶貝的專注力，就要從平常的生活作息開始，父母們其實不需要花大把鈔票讓寶貝上「專注力課程」，只要知道如何降低環境中不必要的刺激排除干擾，透過你的陪伴和鼓勵，讓孩子做一件事情的時間能漸漸地拉長，寶貝就能學會專注在一件事情上。針對玩具太多的例子，一次就只給他一個玩具吧！

生活中幾乎每件事都會運用到專注力，所以專注力是每天都需要培養和累積的能力，但因為現今環境中的干擾因素變多了，寶貝往往在做一件事情的時候就會被其他事物吸引住，使得他們容易分心，這個例子就曾發生在 Aidan 的身上。

從小 Aidan 在家吃飯的時候，我就讓他練習坐在餐椅上吃，吃飯的時候身邊一定沒有玩具；同時也沒有人在看電視，他必須將飯吃完才能去做他想做的事，正因為我排除了環境中的干擾，他才能靜下心來把飯吃完。

但是到了我的教育中心吃飯情況就不同了，教室裡擺滿了吸引他的玩具，於是要他專心吃飯變成是一件非常難達成的任務。這也再次提醒了我，有時候，環境單純一些，對孩子而言說不定是件好事。

貼心小叮嚀

這個年紀的寶貝喜歡能重複操作的物品，爸爸媽媽可以自己DIY，發揮一下想像力，你就能做出又省錢，寶貝又愛的專注力教材了！

延長寶寶專注力的遊戲

遊戲1 義大利戳戳樂（適合1歲以上的寶寶）

材料

一包斜管麵、塑膠保鮮盒、一個塑膠碗

玩法

- 在保鮮盒的蓋子上用刀片割幾個小十字，再將斜管麵倒入碗中，就完成了一個同時能促進手眼協調和手指精細動作的專注力遊戲了。
- 當寶貝手指的力氣還不夠時，爸爸媽媽可以先將一根斜管麵插入十字洞裡，推到只留下1／3的斜麵管再讓寶貝嘗試全數推進去，讓他能在不費太大功夫的情況下得到成就感。
- 建議一次只要練習一根手指，成功後就可以讓其他的手指也做做運動喔！

遊戲 2

認知配對板
（適合1歲7個月以上的寶貝）

材料

9張寶貝生活中常接觸的人或物的相片、魔鬼氈、A4白紙

玩法

- 取9張寶貝日常生活中常接觸的物品或人的相片，護貝後於背面貼上魔鬼氈；取一張A4白紙，在紙上排列上同樣的9張照片並一起護貝，每張照片上同樣也貼上魔鬼氈，配對板就製作完成囉！
- 這個遊戲一開始需要爸媽的協助，示範如何將照片黏貼在配對板上，若這是孩子們第一次使用配對板，建議一次只呈現2至3張照片，其他的照片可先用白紙遮住，讓孩子先專注在少許的目標上。
- 當寶貝能精熟地貼完2至3張照片後，再漸進式地增加照片的數量，每次可呈現不同位置的照片，例如，有時候擺放左右向的照片，有時則是擺放上下向的照片，這樣不但能訓練寶貝視覺專注力，還能維持新鮮感喔！

如何協助寶寶的自我意識發展？

爸媽提問

每天穿衣服都像在打仗，寶貝從來不願意穿我為他準備的衣服，只穿自己選的，他都不接受別人的建議好嗎？

寶寶的內心世界

為什麼爸爸媽媽可以選自己想穿的衣服，但是我卻不行？我喜歡我的公主娃娃裝，不管，我就是想穿啦！

專家這麼說

寶貝在2歲左右的時候，開始會發展出明顯的自我意識，他們會很有自己的想法，也很清楚自己要些什麼，這個時候寶貝會對某些事情特別堅持，就算你好說歹說也很難讓他們改變心意，其實這就是寶貝人生中的第一個叛逆期，它沒有我們想像的那麼糟！這只是代表寶貝的心智正在邁向另一個階段，就敞開心胸接受它吧！

我記得在 Aidan 開始會表達自己的需求後不久，他的意見就開始變多了，睡覺前一定要聽好幾個他指定的故事；出門時一定要先坐在駕駛座「開車」後才願意回到自己的汽座上乖乖坐好；吃飯時明明自己的碗裡有一樣的菜，但他還是堅持要吃大人盤子裡的；我非但沒有動怒，反而覺得很有趣，心裡想著，Aidan 在幾給月前還是個我說什麼他就做什麼的小毛頭，現在竟開始會跟我討價還價，真的是太有意思了。

現在的我，很清楚自己該怎麼做，該扮演什麼樣的角色，這其實都跟我自己的學習經驗有關。我還記得小時候上作文課時，我那敬愛的美國作文老師給了同學一人一張白紙，他指示我們在紙上畫一個框框，並且告訴我們，如果這就是我們的人生，我們該怎麼填滿它！在現實社會中，每個人都有屬於自己的框框，那個框架就是我們該有的底線，但是在框架之外也有一片天，可以任由我們自由發揮。這同時也是我欣賞西方教育的地方，在有限的框架裡仍舊尊重每個人獨立思考的權利，而這，就是我想給我寶貝兒子的人生禮物。

貼心小叮嚀

這個在你面前的小惡魔雖然讓你傷透腦筋，但是孩子有自己的思想是件值得歡呼的事，所以，深呼吸，放輕鬆，保有該堅守的基本原則，尊重孩子的想法，給他一片天。

協助寶寶發展自我意識的遊戲

遊戲1 扮裝派對（適合1歲10個月以上的寶寶）

材料

爸爸媽媽和寶貝的衣服、褲子、裙子、洋裝、帽子、襪子、圍巾、手套、項鍊、皮帶、鞋子

玩法

- 誰說爸爸媽媽對衣著就一定比寶貝還要有品味？給寶貝一些自由發揮的空間，說不定他豐富的想像力和創造力會讓他成為下一個知名服裝設計師——吳季剛！
- 放輕鬆，乾脆和寶貝一起辦一個時裝派對，把家裡可裝扮的衣物和配件都拿出來當作道具，爸爸媽媽可以帶著寶貝做不一樣的嘗試，再一起欣賞鏡子裡的自己，這個遊戲不但可以促進寶貝自己穿衣的能力，他還可以從中學習穿衣的順序和性別的概念喔！

遊戲 2

二選一（適合2歲以上的寶貝）

材料

寶貝的衣服二件

玩法

有時候，天氣明明很熱，就算全身是汗，寶貝還是堅持要穿著他心愛的長袖外套，此時，你絕對爭不過他，就別浪費口舌了吧！有一個魔杖，可以幫助你解決眼下的問題，就是給他選擇權讓他自己作決定。

是的，給寶貝們選擇，會讓他們認為自己有主導權，服從的意願也會比較高，例如，一件是他喜歡的小狗T恤，另一件是他也很愛的摩托車T恤，事實上，你提供的兩種選擇都是你可以接受的，寶貝選哪一件都可以。但請切記，這個魔杖只有在兩種情況下見效：❶一次只給寶貝兩種選擇；❷盡量在寶貝拿出長袖外套前就提供選擇。

如何啟發孩子的肢體協調能力？

爸媽提問

寶貝走路時常常會撞到椅子、桌子，甚至有時還會撞到人，他的視力是否有問題呢？

寶寶的內心世界

我明明就是要走去那邊，但是為什麼會一直碰到東西啊？

專家這麼說

有時幼兒的動作看似笨拙，走路跌跌撞撞，並不代表寶貝出了什麼問題！在這個發展時期，尤其是甫學會行走的孩子，他們還在學習「新的肌力技能」和「如何協調自己的身體」，所以越是活潑愛動的孩子，就越容易撞到東西或摔跤。

從 Aidan 開始學習走路開始，他頭上的瘀血就沒有消失過，頭撞到牆壁是他最拿手的把戲，沒事走路跌倒在地上他也很內行，一開始我相當心疼，但到最後也就視碰撞為家常便飯。其實當時我並沒有很擔心，因為他一天一天都在進步，加上爸爸又是水球健將，每天都給他足夠的運動刺激，所以雖然他才1歲多就會用一隻手拿起大球並有力的丟球，還能將球踢進盒子裡。

現在的他雖然偶爾還是會撞到牆壁，那可不是因為他身體不協調，那是因為他的眼神不是被身旁可愛的姊姊，不然就是被馬路上的車子所吸引住而分心了！

貼心小叮嚀

如果孩子已經不是普通的碰撞或跌倒，而是走樓梯時少走一個階梯、常撞到牆，或是想將玩具放到桌上卻常常放不準而掉落在地上，這都意味著孩子可能有其他潛在的生理狀況；也有另一群的孩子，除了大肢體的動作不協調或沒空間概念外，就連其他的精細動作也有狀況，若是孩子這方面的發展一直沒有進展，就建議家長儘早帶孩子就醫檢查。

啟發孩子肢體協調能力的遊戲

遊戲1 沿線趴趴走

（適合1歲6個月以上的寶寶）

材料

顏色鮮豔的的寬膠布

玩法

- 選擇顏色鮮豔的寬膠布，貼在家中或院子的地板上，一開始先貼成簡單的線條，例如，直線和橫線條，鼓勵寶貝沿著線條走。
- 等到寶貝能掌握自己的平衡感，持續地走在線條上，就可將膠布貼成具變化性的彎曲線條，甚至讓這個遊戲更有趣的方式是貼出一個迷宮，寶貝在走到終點時會找到一個驚喜寶藏！

貼心小叮嚀

若是寶貝希望不在大人的協助下自己試著走，但偏偏又缺乏平衡感，爸爸媽媽可將膠布加寬，讓寶貝能成功的走在膠布的範圍內，提高寶貝的成功機率並同時給予鼓勵，能讓寶貝建立自信心。

遊戲2 你來帶頭（適合1歲6個月以上的寶貝）

材料

快節奏的音樂

玩法

- 在寶貝有了模仿的能力後，他便會開始模仿他身旁的人，利用這個機會，搭配幾首快節奏的音樂，讓寶貝跟著你一起動一動。
- 你可以單腳走路、雙腳跳、手碰腳趾，或一手摸鼻子一手摸頭，任何你可以想到的創意動作都會令寶貝感到既新鮮又有趣，不如快趁現在，和寶貝一起自創屬於你們的特有舞蹈吧！

透過兒童節目或教學影片學習好嗎？

爸媽提問

幼兒還沒開始上幼稚園時，在家裡可以教些什麼？播放小朋友看的電視節目，或是購買小朋友的教育光碟有用嗎？

寶寶的內心世界

我的年紀還小，還不到上學的時候，但是我還是想學東西，爸爸媽媽可以教我嗎？

專家這麼說

很多家長不知道在家裡該給孩子什麼樣的教育，於是家長們開始依賴有教育性質的電視節目，或是坊間販售的DVD教材和教具。當然，現有的教材對家長而言是真的很方便，電視一開，教具一擺，孩子就可以自己學習，可是，孩子真的有在學習嗎？成效是否真的如我們所預期的一樣？

事實上，美國曾經做一項研究，研究者讓一群嬰幼兒看著電視學習，另一群嬰幼兒則直接從大人身上學習。後來的研究結果發現，同樣的教學內容，只是透過不同的學習方式，竟然有相當大的差異；那些透過與人互動學習的孩子，他們學習到的知識遠比透過電視學習的孩子來的多，這點證明了互動學習方式才能達到最好的成效。

我不喜歡我的孩子透過冰冷的螢幕學習刷牙、吃飯、穿衣等生活常規，我希望 Aidan 能享受學習的過程，珍惜人與人之間的互動，也就是因為我有我的堅持，所以我會絞盡腦汁讓學習變成有趣的事，用心將環境中現有的物品製作成廉價、有趣的教具，雖然辛苦，但當看到我那開心又愛學習的寶貝，這一切都值得了！

貼心小叮嚀

如果教育是單單透過電視或電腦就可以做到的，現在就不需要有學校這種地方了。既然如此，家長更需要重視親子互動的學習，不能只依賴電視或單向的學習法，加油！雖然你可能會需要投資更多的心力和勞力，但是投資報酬率一定是很高的喔！

增進寶寶認知的遊戲

遊戲 1

把你送回家

（適合1歲10個月以上的寶寶）

材料

杯子蛋糕的烤盤或裝糕餅的容器、數個不同的小物件（例如，義大利麵、大黃豆、小玩具）、幾個空布丁盒

玩法

- 將不同的小物件分別放置在各個布丁盒裡，再把布丁盒排列成一排，爸爸媽媽可以從布丁盒中各取出一個小物件並放入容器中，再告訴寶貝每樣東西都有他們的家，請他跟著你一起把物件都送回家。
- 等到寶貝開始有分類的概念時，就可以繼續挑戰寶貝的能力，你可將所有的物件放置在同一個布丁盒中，寶貝需要自己將一個一個的物件區分出來再重新歸類，但是如果寶貝對這個遊戲還不太理解，你可以用一張紙將一些凹槽蓋住，只留下一至兩個凹槽供寶寶選擇，這樣就是簡化版了！

遊戲 2

貼貼身體（適合1歲以上的寶貝）

材料

數張貼紙、玩偶或娃娃

玩法

- 這個遊戲能提升寶貝許多的能力，其中包括認識自己及他人的身體部位、手眼協調和手指拿捏的精細動作。爸爸媽媽準備的貼紙最好是寶貝有興趣的貼紙，這些貼紙的大小也要適中，寶貝才容易操弄。
- 這個遊戲有兩種玩法，一種是先將幾張貼紙分別貼在寶貝的身體部位，再告訴寶貝「找找你手上的球」；另一種玩法是讓寶貝撕下貼紙，再告訴他「貼在你的腳上」。
- 不管你玩的是哪種遊戲，你的寶貝都會覺得很有趣，接下來，拿出寶貝的娃娃，讓他在貼完自己的身體部位後立刻練習貼貼紙在娃娃的身體上，學習自己和他人的概念。

貼心小叮嚀

不是每個孩子在這個階段都能連結娃娃和自己的身體部位，如果你的寶貝還沒有發展出這項認知的能力，可以讓寶寶在爸爸媽媽身上做練習。

什麼時候適合進行如廁訓練？

爸媽提問

寶貝非常害怕馬桶甚至拒絕坐馬桶，這樣下去怎麼進行如廁訓練呢？

寶寶的內心世界

那個有一個洞的東西是什麼啊？為什麼裡面有水？坐上去的感覺好可怕，會掉下去嗎？爸爸媽媽到底要我坐在上面做什麼呢?!

專家這麼說

你的寶貝準備好開始學習如廁了嗎？你是不是常常因為受到老一輩的壓力而覺得孩子該戒掉尿布了呢？雖然長輩帶孩子很有自己的一套經驗，但是現在的時代跟以前不同，教育專家也越來越能理解孩子的身心發展，就拿如廁這件事，適當訓練的時期因人而異，但多數的幼兒需等到22個月以上才適合訓練，提早訓練不但會造成孩子的壓力，還會讓他對上廁所產生排斥的現象，到時辛苦的反而是家長。那要如何觀察孩子有沒有準備好？如廁的先備能力有三項，分別包含了心理、生理和認知的層面。

❶ 心理層面是指孩子對馬桶的接受度，他願意坐在馬桶上幾分鐘嗎？他會害怕嗎？

❷ 生理層面指的是膀胱的控制，孩子能忍耐一個鐘頭不尿褲子嗎？

❸ 認知層面則是指孩子有沒有屬性的概念，例如他是否知道鞋子是放在鞋櫃裡的？如果有這個概念他才能理解上小、大號是要上在馬桶裡。

雖然 Aidan 在 1 歲半時，家人就不斷地說服我要開始進行如廁訓練了，但我還是不願意逼迫 Aidan 學習一件他生理還不成熟的事，一直到他 1 歲 7 個月的時候，我發現他連續好幾週早上起床尿布都是乾的，表示他的身體準備好了，我才開始測試他對馬桶的接受度和他的認知能力。果真，當他都具有這些能力後，學習的速度就非常快，才訓練不到兩週，他不但不會尿褲子，還會主動告訴我們他想要尿尿或便便，我真的是太為他感到驕傲了！

寶寶的如廁訓練遊戲

「哇！狗狗會在馬桶裡尿尿，好棒啊！」透過玩偶的演練，寶貝會發現原來馬桶一點都不可怕！

遊戲1 小小設計師

〔適合1歲9個月以上的寶寶〕

材料

幾張貼紙（或小裝飾品）、一個玩偶

玩法

・如同以上提到，其中一項如廁訓練的先備條件是對馬桶的接受度，但因為有一些寶貝看到馬桶會畏懼，最能排除恐懼感的方式，就是營造愉快的氣氛，讓寶貝能對馬桶有正向的感覺。

・你可以準備幾張寶貝喜歡的貼紙或小裝飾品，跟他一起佈置自己的小馬桶，先不急著讓他坐馬桶，反而讓他看看他最喜歡的玩偶坐在馬桶上的樣子，你還可以倒入水同時說，

遊戲2

綠池塘裡的小鴨鴨（適合1歲10個月以上的寶貝）

材料

藍色水彩、塑膠小鴨

玩法

- 當寶貝的生理、心理和認知能力都準備好時，爸爸媽媽就可以變個小魔術給寶貝看。
- 將藍色的顏料滴幾滴在馬桶裡，放入鴨子（你可以省略這個步驟），告訴寶貝，「小鴨子從藍色的池塘游到了另一個顏色的池塘」，並鼓勵他尿在馬桶裡，讓他親眼目睹藍色的池塘變成綠色的池塘！

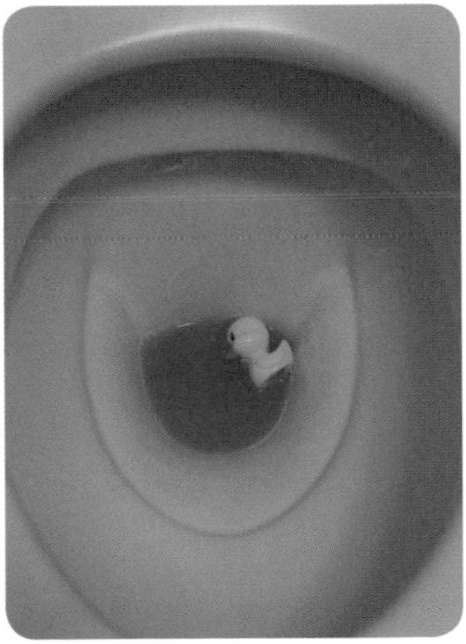

貼心小叮嚀

當孩子準備好，而你要開始如廁訓練時，建議要完全退掉尿布，孩子才會學得快，要是有時讓他穿著尿布有時又退掉，孩子只會更混淆，訓練的時間也會拉長喔！

帶寶寶搭飛機前該做哪些準備？

爸媽提問

我想帶孩子搭飛機出國旅行，該準備什麼物品，他才不會在飛機上吵鬧啊？

寶寶的內心世界

好開心要搭飛機了，但是為什麼一直要坐在椅子上呢？好無聊啊！我想下來跑一跑，我不要一直待在這個地方，好不舒服啊！

專家這麼說

無論是短程或長程的飛行旅程，對寶貝而言都是一種不同的體驗，上了飛機，孩子就得被限制在窄小的空間裡，起飛和降落所造成的不適、不舒適的睡眠環境，都是他們心情不悅的來源。因此，做好功課很重要，花一點心思，準備一些可以滿足寶貝身心層面的小物件，會讓你的旅途輕鬆許多喔！

Aidan剛滿1歲的時候，我就決定挑戰帶著他搭13個小時的飛機飛到美國探望外公。在上飛機前，我上網閱讀了很多媽媽帶孩子搭飛機的經驗，有些媽媽靠著電動或卡通來娛樂孩子，有些媽媽則帶了幾個玩具上飛機，期待這些玩具能陪伴孩子度過這趟漫長的旅程，也有一些媽媽會帶著醫師開的藥水，希望寶貝服用後能一覺睡到終點站。

我當時想著，這是我們一家的飛行初體驗，我一定要做好萬全的準備，所以在上飛機的兩週前，我寫了一張清單，內容包含了我平常一貫遵從的法則，那就是，「要把孩子搞定，一定要顧及讓孩子吃得飽，玩得好，還要睡得好，他才會有好心情」所以我的媽媽包裡，裝了滿滿的愛心小物，有吃的、有自己DIY的玩具，還有Aidan睡覺用的小枕頭。我的苦心得到回報，Aidan一路上都很開心，該吃的時候吃，該睡的時候睡，無聊的時候拿出我為他製作的玩具來玩，坐不住的時候跟著爸爸沿著走道走一走，還會跟身旁的叔叔、阿姨打招呼呢！

貼心小叮嚀

有時候小寶貝們在飛機上鬧情緒，並不一定是因為無聊，而是因為起飛和降落時造成身體不適所引起的，所以上飛機前，可以在手提行李裡多準備一些小零食或飲料，讓他在起飛和降落前享用，可以減緩他耳朵的不適，還可以轉移注意力喔！

順利帶寶寶搭飛機的遊戲

遊戲1

媽媽百寶袋

〔適合所有的寶貝，內容視年齡做調整〕

材料

吃玩睡，吃玩睡，吃玩睡，這就是爸爸媽媽要記住的魔咒，你的媽媽袋裡最重要的三大成員一定要包括這三大項，但是玩的東西占的比例要高。

玩法

建議爸爸媽媽一次只拿出一個玩具，等到寶貝快玩膩了再換下一個，另外，如果這些玩具是之前寶貝從沒看過的，新鮮感會讓寶貝玩得更久喔！

除了寶貝平常喜歡的玩具之外，盡量準備一些是能操作的玩具，例如，小拼圖、畫畫板、串珠珠或是配對板，寶貝對於能操作的玩具較感興趣，你也能從中多製造一些變化，拉長每項活動的時間。

遊戲 2

搭飛機的故事

（適合1歲以上的寶貝）

材料

和搭飛機相關的繪本

玩法

- 有些寶貝在體驗新事物前若是做足了心理準備，就能預期將會發生什麼事，情緒也會比較穩定，也比較能接受新的體驗喔！
- 幫寶貝做好心理準備的方法有很多種，你可以在搭飛機的一週前就開始預告寶貝搭飛機的流程和可能會發生的事情；如果能搭配繪本，或是利用網路下載的圖片會讓寶貝更理解你想傳達的訊息。
- 在搭飛機前，你也可以提早到機場，check in之後帶寶貝先去觀看飛機起飛和降落的樣子，興奮的寶貝一定會迫不及待要坐飛機囉！

怎麼讓寶寶乖乖上床睡覺？

爸媽提問

每天到了晚上睡覺時間就是我惡夢的開始！寶寶不是不願意睡覺，就是在床上吵著要玩這個、要玩那個，難道我每天都要跟他奮戰嗎？

寶寶的內心世界

睡覺？為什麼要睡覺？睡覺不就是什麼玩具都不能玩，什麼事都不能做了嗎？我才不要！

專家這麼說

我們都知道睡眠對孩子是何等的重要，有了好的睡眠，寶貝隔天才會有好情緒，學習力也才會強；但是現在的孩子都睡得晚，起得也晚，生活作息跟著大人走，這也難怪為什麼睡眠品質不佳的孩子同時會有注意力不集中、免疫力低、焦躁的狀況了。

既然睡眠會影響孩子的生理與心理，家長們更須視睡眠為重要的教養概念之一。首先，先為寶貝建立一個睡前的例行程序，這程序應該訂在睡前四十五分鐘至一個小時，也就是說如果就寢時間是九點，那麼你在八點時就要開始執行睡前的準備工作，這些程序主要的目的是讓寶貝準備進入睡眠的狀態。因此，程序中的活動要以能使寶貝放鬆的為主，避免容易玩太 high 的遊戲或進食甜食，另外，睡覺的環境應是安靜的，燈光調暗，房間氣溫涼爽都能有助孩子的睡眠。

我之前提到，Aidan 在出生沒多久後我就開始調整他的生活作息，所以，從小他的睡眠時間就很固定，雖然我很想實行美國家長的那一套，傍晚五點吃飯，六點洗澡，七點上床睡覺，但我畢竟是職業婦女，要學習美式作法還真的有點難處。不過，因為我了解睡眠對孩子的重要性，所以我也督促自己最晚八點半要讓 Aidan 上床，執行久了這也變成了一種習慣，不但不會覺得困難，我反而很慶幸我的努力換得了自己的寶貴時間！

讓寶寶乖乖入眠的遊戲

遊戲1 睡眠進行曲（適合所有的寶貝）

材料

可以幫助寶寶放鬆的活動

玩法

・觀察哪種活動能讓寶貝放鬆，洗個泡泡浴、聽首搖籃曲、講個故事、按摩還是抓抓背？選擇幾個寶貝喜歡的活動，將這些活動流程固定的執行，例如，7點泡溫水澡，洗完澡後一邊喝杯溫牛奶一邊聽首放鬆的音樂，再聽個睡前故事，接著關燈，跟寶貝說聲「晚安」再加一個愛的親親。

・當你一開始做調整時寶貝會需要點時間適應，幾次之後，寶貝的心情就會隨著這個流程開始放鬆，準備進入夢鄉囉！

遊戲 2

關於你的故事（適合1歲以上的寶貝）

材料

寶貝喜愛的玩偶

玩法

• 如果你的寶貝愛聽故事，這個睡前故事會比任何的故事都還來的有趣！拿出寶貝的玩偶，透過玩偶來說故事，說出寶貝今天所發生的事。

• 像是「Aidan你今天很快樂喔！早上你吃了媽媽做的香蕉草莓奶昔和蛋餅，吃玩後媽媽帶你去上課，你在學校跟小朋友一起玩汽車的遊戲，還跟老師學做燈籠。下課後媽媽帶你去公園玩，你還跟新認識的姊姊輪流溜滑梯，然後你跟著媽媽一起坐捷運回家。吃了飯，洗了澡，現在要睡覺了，請閉上眼睛，你會做個好夢，明天也會是很棒的一天喔！」

• 說關於寶貝的故事，不但可以讓他對所發生的是記憶更深刻，他還能從中學習事情的先後順序喔！

怎麼改善寶寶愛打人的困擾？

爸媽提問

寶寶1歲8個月很愛打人，我跟他說「不可以」都沒有用，打他更沒有用，怎麼辦？

寶寶的內心世界

「媽媽你有在注意我嗎？」、「我生氣了！」、「我好累」、「打人好好玩」……

專家這麼說

就如很多不好的行為，寶貝打人、咬人也是一般孩子必經的成長過程，在孩子語言尚在發展的階段期，手的動作也是他們溝通的途徑，只是因為動作會來的比說話還快，所以在他們還不能準確的說出自己的感受時，他們一定會選擇最快、最方便的方式來告訴你他的想法。但是，寶貝到底想告訴你什麼呢？是餓了、累了、無聊、生氣，還是因為整天沒見到你所以想要引起你的注意呢？也有一些狀況是因為家中或日常作息有了變動，好比搬了新家或家中多了個弟弟或妹妹，這些潛在的因素都值得爸爸媽媽觀察喔！

曾經有一個朋友告訴我，他的兒子1歲多的時候在托兒所就開始咬人，Aidan就在同個時期也開始出現打人的問題，每次打人都非常精準地給人一個巴掌，有時還會抓破臉上的皮膚，第一次發生的時候，我愣住了，他看我沒有反應，也就不再繼續；後來又有一次他揮了我一巴掌，當下我的直覺反應就是回打他的小手並嚴厲的告訴他，「不可以」，沒想到他反而哈哈大笑接著又打了我一下，當時我才意識到我正在做的事，就是我在告訴他打人是OK的！我不但做了錯誤的示範，還更混淆他對打人的觀感。從那次的經驗之後，我更注意我的言行舉止，也更相信我的美國教授曾經說過的，「懲罰無效，因為它並不能教導孩子該怎麼做。」

貼心小叮嚀

千萬別在孩子打人或咬人時對他做出同樣的動作，並對他說，「你現在知道這是什麼感覺了吧！」這個年紀的孩子無法理解他人的感受，這樣做只會有反效果而沒有任何的好處喔！

鼓勵寶寶與他人正向互動的遊戲

遊戲 1

用手說話（適合1歲以上的寶貝）

玩法

・很多時候，寶貝們打人並不是因為有負面情緒，而是單純的想要得到大人的反應或注意。

・有一個可以解決這個問題的方式，就是教他還有其他適當的表達方式，而這個方式可以替代你不喜歡的打人或咬人動作，同時還可以獲得他想要的注意。

・當寶貝舉起他的小手時，你就順勢帶著他的小手跟你「Give me five!」或是帶著他的手輕輕的摸或拍拍你，再對他說一些正向的話語，「喔！你想找我一起玩嗎？」

遊戲 2

他怎麼了？（適合2歲以上的寶貝）

玩法

• 如在4、5歲以前，要求寶貝理解他人的感受和觀點是件困難的事，但提早讓他們接觸這樣的概念並不嫌早，練習久了，這一點一滴的累積會在寶貝心裡生根，等到他的心智成熟後便會自然地理解。

• 你現在可以做的，就是隨機的向他描述他人的感受，「爸爸被打了，他的手好痛」，或是「妹妹的玩具被搶了，她好難過所以哭了！」給予愈多的情緒描述，寶貝愈能學習如何辨識他人和自己的情緒喔！

媽媽手記

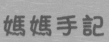

第5章

2～3歲 寶寶啟蒙遊戲 準備克服第一個叛逆期

你的寶貝兩歲了！常常聽別人說，「terrible twos」是不是會讓你感到害怕呢？這個時候的寶貝，是不是什麼都說：「我不要！」不然就是頻頻鬧脾氣，好動起來讓你追著跑；此外，自我意識也特別強，喜歡的東西就一定要立即要得到，不喜歡的，你怎麼強迫到最後也是拿他沒轍。這個原本可愛的寶貝，現在竟變成了一個小魔鬼！其實這個時期，就是寶貝的第一個叛逆期，也是家長需要面臨的一個挑戰，只要準備好，再困難的也可以克服，你還會發現，寶貝他還是有很可愛的一面喔！

2～3歲固執寶寶的行為發展

你可能還以為你已經經歷過最令人頭疼的時期，身經百戰的你，是否曾對自己說過，「還有什麼事是我沒辦法處理的！」我要預告父母們，對很多人而言，恐怖的噩夢才正要開始呢！隨著寶貝自我意識的發展，他們的喜好會愈來愈明確，對事情也開始有著強烈的感受，也因此有著一些執著與堅持，那些你以前用的「轉移」小技巧，早已失去了它的神奇效力，你只能看著前一分鐘還是個天使的孩子，竟然毫無預警地轉變成一個無理取鬧的小魔鬼。

每個小魔鬼都有著不一樣的樣貌，有的孩子直接在超市裡倒地大哭大鬧，有的到處尖叫、丟東西，也有一些孩子會在生氣時撞頭或跟你一天到晚唱反調。在幾年前，這些行為代表著父母沒把孩子教好；而現在研究已證實，這是每個孩子必經的成長階段，只要父母能持有多一些的耐心與關愛，大多數的惱人行為多會隨著年紀的增長而漸漸地減緩。

父母在這個時期可以做的，就是比孩子搶先一步，在他可能會因某事件鬧脾氣之前，以遊戲的方式協助他度過這個時期，平時保持有品質的互動，再過不久，你的孩子會走出這個階段，帶你進入美夢喔！

2～3歲寶寶的發展

語言發展

☺ 按順序聽從各種組合的指令
☺ 更清晰的發音，可以說數百個語句
☺ 理解「我、你、他、我們、他們」和「我的、你的、他的」的概念
☺ 開始會回答和提問簡單的「Wh」問題（什麼、誰、那裡）
☺ 能簡單描述周遭發生的事物
☺ 會說出自己的名字、年齡和性別

社交和情感發展

☺ 會友善的對待他熟悉的玩伴，並會輪流跟別人玩遊戲
☺ 會透過語言來表達感情
☺ 能習慣暫時的分離
☺ 會調整自己去適應環境（戶外玩時很活躍，房間裡玩時很安靜）
☺ 參與說故事的活動

日常生活技能／肌力發展

☺ 在白天時會說自己想上廁所，但晚上有時還會尿床
☺ 能整夜安然入睡
☺ 學會照顧自己（在幫助下，他漸漸會自己刷牙，自己穿衣服和使用餐具）
☺ 對食物的準備過程產生興趣並喜歡幫忙做家務
☺ 開始會用寫字的姿勢握筆，並能用鉛筆或蠟筆畫直線、橫線和圈圈

認知發展

☺ 會複製他看到的立體物品（如堆積木）
☺ 會玩象徵性遊戲
☺ 明白「2」的概念
☺ 學會以功能性使用生活物品
☺ 掌握相同和不同的概念明白並可以從中分類
☺ 能理解簡單的因果關係

孩子不懂分享與輪流？

爸媽提問

因為家裡只有一個小孩，所以寶貝不懂得與人分享和輪流？每次和其他小朋友一起玩，都只有他不願意分享和輪流，害我很不好意思，別的家長可能都以為我沒把他教好吧！

寶寶的內心世界

爸爸媽媽是我的、娃娃是我的、積木是我的，湯瑪士小火車也是我的，什麼是「分享」？什麼又是「輪流」呢？我怎麼能把我的東西給你呢？你拿走了我就沒有了啊！

專家這麼說

沒有人一出生就自動會分享或輪流，這都是經由學習而來。這個年紀的孩子，自我意識強，自己的感受最重要，別人的感受他無法體會，較難去理解分享和輪流這些抽象的概念，對他們而言，東西給了別人就拿不回來了，爸爸媽媽可以透過遊戲，從中給予一些具體的例子，讓他們體驗分享的樂趣！

Aidan 從小就在我的教育中心上課，因此他每天都有接觸小朋友的機會，在與同學們一起玩耍時，為了搶同樣的玩具爭吵是常見的事，不過我發現，那些我們對孩子常用的話語「要分享」、「要跟小朋友輪流喔！」對這個年紀的孩子而言根本就是外星語，他們絕對無法理解其中的意思，所以在這個時候示範很重要，除了做給孩子看外，讓孩子知道什麼時候會在輪到他，也是個會讓他有意願輪流的方法。我會在 Aidan 把玩具讓給別人時，帶著他一起數到10，讓他理解輪流是需要等待的，也能從中讓他預期什麼時候會再輪到他，他不但理解，也不會感到焦慮，我可以很驕傲的說，Aidan 是個很喜歡分享的小孩喔！

貼心小叮嚀

除了以具體的方式教導孩子如何分享和輪流外，有時候寶貝們會有他們自己解決衝突的方式，所以爸爸媽媽們不需要急著馬上介入，給孩子們一些空間，說不定他們會有你意想不到的方法呢！

教寶寶分享與輪流的遊戲

遊戲1 吃到飽 Party（適合2歲以上的寶寶）

材料

準備幾個寶寶喜愛的玩偶，包括娃娃、小熊等；與玩偶相等數量的紙盤；另外再準備數個玩具食物或寶貝喜歡的餅乾

玩法

・在寶貝還沒準備好將自己的東西分享給其他小朋友前，先透過假想性遊戲來練習分享的概念。將玩偶排排坐，在每個玩偶前各放置一個紙盤，讓寶貝面向玩偶們，營造party的氣氛。

・爸媽先示範分發餅乾的樂趣並帶著寶貝一起，當寶貝也願意分享時，爸爸媽媽可以開始扮演玩偶，以玩偶的角色來告訴寶貝被分享的感受，「我好開心，你分我餅乾吃，好大方啊！」說完後，小熊也很大方的把他的餅乾分享給寶貝吃，讓寶貝也體會被分享的喜悅。最後，記住這是一個party，和寶貝一起享用全部的餅乾吧！

遊戲 2

我們都是音樂家

（適合2歲以上的寶貝）

材料

幾個方塊地墊、幾種不一樣的樂器（例如，響板、鈴鼓）

玩法

・約幾個小朋友和寶貝一起玩，讓小朋友和寶貝坐在地墊上圍成一個小圈圈，發給每個小朋友一個樂器後再和孩子們一起挑選大家都熟悉的兒歌。

・唱歌時帶領小朋友拿樂器跟著節奏拍打。當一首歌結束，換另一首歌之前，提示孩子將樂器傳給旁邊的小朋友。

・透過這個音樂遊戲的方式，寶貝會漸漸開始理解輪流的概念，因為搭配孩子喜歡的音樂和不同的樂器，會讓「輪流」變得更有趣！

寶貝一直說「不要」怎麼辦？

爸媽提問

寶寶兩歲多後開始不聽話，對我說的話或要求，他都會反抗，令我好頭痛啊！怎麼做他才會乖乖聽話呢？

幼兒的內心世界

媽媽說：「吃飯時間到了，要收玩具囉！」

寶貝心想：「我不要，我要繼續玩！」

媽媽說：「現在不可以看電視了，要睡覺了。」

寶貝心想：「我不要，我還要看！」

專家這麼說

前面提到，孩子在兩歲左右的時候，自我意識會變強，所以他們會反抗是件正常的事，但是自我意識強的孩子還是可以學習如何順從，關鍵是由家長先做起。檢視一下自己對孩子說話的方式和時機，你是不是常常在孩子正在做他喜歡做的事情時要求他停止呢？說話的內容是不是都是叫他做一件他不喜歡的事情呢？像是放下手邊的故事書去洗澡，如果答案是「Yes」，那麼就算是任何一個孩子，他對你的要求應該都會說，「NO」吧！

Aidan 在1歲多的時候發現了說，「我不要」的這個祕密武器，於是他常常把「我不要」掛在嘴邊，出門前我說，「我們去尿尿好嗎？」他回答，「我不要」；「我們去洗澡吧？」他還是回答，「我不要」，幾乎我對他的任何要求，他都以這句口頭禪來回應我，後來我才發現我對他提出要求的時候都不是好的時機。我要求他的時候，Aidan 不是正在玩他的玩具，就是在看他的汽車繪本，要他放棄，就好比老公叫我關掉電視，去倒垃圾一樣困難吧！

不過，人都是喜歡被預告的，所以我套用了這個概念在 Aidan 身上，每當我要他做一件事時，我會盡量先協助他結束他正在進行的活動再對他提出要求，我也會先告知他什麼時候該結束，例如，「媽媽數到20就要收玩具囉！」，被預告過的 Aidan，在有心理準備之下，果真配合度比之前高喔！

讓寶寶學習順從的遊戲

遊戲 1

「先……再……」或是「先……就……」（適合2歲以上的寶寶）

玩法

• 想一想，如果你希望寶貝能聽你的話，但是你叫他做的卻是他本來就不愛做的事，那說「好」對他到底會有什麼好處？不妨換了一種說話方式，像是「先洗完澡，再一起看汽車故事書」、「先吃完飯，我們就可以跟爸爸一起堆積木了」、「先穿外套，我們就可以去公園溜滑梯了！」

• 爸爸媽媽有沒有學會呢？套用這個公式，只要填空就好啦！你會發現一個神奇的現象，當你說話的方式一改變，你的孩子也會變成一個聽話的小寶貝！

貼心小叮嚀

聆聽孩子的需求，當他主動跟你提出需求，像是「我要吹泡泡」，你可以將他想要的放入在「先……再……」或是「先……就……」的公式裡，例如，「先刷牙，你就可以吹泡泡囉！」爸爸媽媽千萬要切記，避免將話說成負面的，像是「你不刷牙就不能吹泡泡！」以免有反效果喔！

遊戲 2

演戲給你看（適合2歲以上的寶貝）

材料

玩偶

玩法

- 有時候，用說的還不如用演的更有效果！拿出寶貝的玩偶或娃娃，在他面前演一齣你自己編的戲碼，演出的內容應該要符合寶貝常接觸的情境，如果你希望寶貝能聽你的話把玩具收好、把飯吃完、跟弟弟相親相愛，或是乖乖上床睡覺，你都可以透過玩偶把劇情演出來。
- 整齣戲的重點應放在，將你希望看到寶寶表現的行為演出來，也就是那些正向的表現，寶貝才會了解他應該怎麼做喔！

下雨天該和孩子進行什麼活動？

爸媽提問

又下雨了，好懶得出門，如果要待在家，該和活潑好動小朋友玩什麼來消磨時間呢？

幼兒的內心世界

難得到了假日爸爸媽媽可以帶我出去玩，但是竟然又遇到下雨天要待在家裡，可是家裡的玩具都玩膩了，好無聊啊！

專家這麼說

一般的家庭，到了週末都會希望帶孩子出去走走，不希望待在家裡把自己和孩子給悶壞了，只是有時計劃不如變化，雲一多，雨一下，原本興致勃勃的爸爸媽媽也只好認命了。

可惜的是，雖然這是一個親子可以相處的機會，但研究顯示，大多數的家長到最後不是看電視，就是各做各的事情，真正有品質的互動卻是少之又少。這時候，沒事做的孩子們就會開始搗蛋，爸爸媽媽想要的悠閒休息空間也就這樣被破壞了；既然這是可預期的狀況，還不如花點心思，製造一些遊戲，讓孩子在家裡也一樣可以消耗體力，同時還能促進親子關係呢！

我是個愛帶兒子出門的媽媽，只要週末不需要教課，我一定會和先生在週末還未到之前，就計劃好出遊的行程，因為自己愛玩，所以行程一定排得滿、滿、滿，就如某一次的出遊行程就包括了：沿著海岸騎腳踏車+南庄老街+看草泥馬+天空之城+大湖採草莓；但是有時天空就是不作美，下著雨的時候，除了帶 Aidan 去室內的場所走走，其他的時間還是要靠一點自己的想像力，我會在家裡創造一些有趣的遊戲，我和兒子才既不會悶壞，還可以趁機有一點高品質的相處機會。

貼心小叮嚀

珍惜親子相處的機會，別讓待在家裡的一個下雨天，成為另一個無建設性的共處時間。

適合孩子的雨天遊戲

遊戲1

DIY紙箱玩具（適合2歲以上的寶寶）

材料

幾個中型紙箱、剪刀、色紙、繩子

玩法

• 紙箱的好處真是多又多，只要加上一些小變化，及一些靈感和想像力，它就能成為寶貝的新玩具！從設計、製作、一直到最後的遊戲，都要讓寶貝與你一起參與。

• 你可以請寶貝先選擇他想要製作的交通工具或動物，再運用色紙設計他想要的圖案，接著剪下圖案貼在紙箱上，然後在紙箱兩側穿洞綁上繩子，就讓寶貝揹在身上，紙箱就變成寶貝可以駕駛的小汽車了！

• 或者你也可以將紙箱摺平當作雪橇的底層，接著再紙板的兩側戳兩個洞，再繫上繩子，就成為一個室內可以玩的紙箱雪橇了，聖誕老人要送禮物囉！

遊戲2

101大樓（適合2歲以上的寶貝）

材料

積木、圖畫紙一張、蠟筆

玩法

- 家中如果有其他手足，寶貝也可學習如何和手足合作，一起完成一項任務。
- 先將圖畫紙放置在地上，接著爸爸媽媽先以積木在圖畫紙上搭建一棟大樓，然後用蠟筆描繪出大樓的外型，再將圖畫紙貼在牆壁上，就完成囉！
- 將積木收回玩具箱內，請孩子們以積木照著剛才所描繪出的大樓圖形重新搭建大樓，在過程中避免協助，讓孩子們自己找到合作的方式，一同體驗合作的快樂。
- 任務達成後，記得稱讚他們一起完成的作品，寶貝不僅享受在其中，還能促進他往後在團體裡的適應能力。

孩子很挑食怎麼辦？

爸媽提問

我家兒子很挑食，尤其是蔬菜類的，不吃就是不吃！怎麼辦呢？

幼兒的內心世界

我不喜歡吃菜菜，味道好難吃！

貼心小叮嚀

有些孩子吃飯吃得很慢，其實有很多原因，是因為肚子不餓、不喜歡吃、吃飯的時候有其他的干擾（如看電視或玩玩具）、食物太大難以吞嚥，還是口腔肌肉偏弱？先觀察孩子的狀況，再決定需要用哪種方式來協助孩子喔！

專家這麼說

當家長說孩子挑食時，通常我會先問問家長，孩子的菜單有哪些食物？家長是如何烹調這些食物？有沒有時常做變化？對孩子而言，挑食的原因因人而異，有一些孩子是不喜歡某種味道或口感，也有些孩子挑食是因為食物的顏色，甚至有些孩子是因為曾經在吃的時候有不好的經驗，造成他排斥某種食物。

除了去了解孩子為什麼挑食外，家長還需要問自己一個問題，「為什麼一定要孩子吃——（請填空）？」如果是為了攝取營養，是否有其他的食物是孩子願意吃的，同時又能提供相等營養的？曾經有一位媽媽，因為希望寶貝能攝取鈣質，於是在孩子斷了母奶後強迫孩子喝牛奶，只要孩子一拒絕，媽媽就會讓他面壁罰站，從此之後，孩子只要看到牛奶就有情緒，他不但不喝，還會大鬧一場。這個例子告訴了我們，有時候，想要達到目的並非只有一個方法；換條路，轉個彎，像是給孩子一片起司，還是可以達到相同的目的，不僅可以預防親子之間的磨擦，同時也預防孩子以後對其他食物抗拒的可能性，何樂而不為。

Aidan 在小的時候就不太喜歡泥狀口感的食物，他絕不熱愛蒸熟的馬鈴薯、烤地瓜或南瓜，可是偏偏這些又是含有豐富營養的食物，讓我傷透了腦筋，還好廚藝還不錯的我願意多元嘗試。有一天我將南瓜蒸熟，放入雞湯和牛奶，再以果汁機攪打，煮開後就成了香濃的牛奶南瓜湯；Aidan 不但捧場的把自己碗裡的湯都喝光光，還吵著要喝我的湯！在那次之後我就常常變化菜單和烹調的方式，Aidan 挑食的狀況減少了，就連挑嘴的老公也開始愛吃我做的菜了！

改善孩子挑食的遊戲

遊戲1 一起動手做（適合2歲以上的寶寶）

玩法

．只要是孩子親身體驗過的，他就越能接受，甚至會越喜歡！套用在吃飯上，寶貝要是能一起參與煮飯、烹調的過程，他就能從中透過視覺、聽覺、嗅覺、觸覺和味覺的感官來接觸食物，比如和寶貝一起逛超市，挑選新鮮的碗豆莢（視覺），和你一起清洗和撥豆子（觸覺），在旁邊陪你炒豆子（聽覺）和聽你描述使用的調味料，再嚐嚐味道（味覺），只要有參與感，寶貝一定會多作嘗試。

．現在，想想你的菜單，可以讓寶貝參與的有哪些？做餃子、麵條、還是三明治？

貼心小叮嚀

在烹調的過程中就可以讓寶貝跟著你一起品嚐味道，寶貝可從中學習不同味覺的詞彙外，你還能同時觀察他的喜好喔！

遊戲 2

扮家家酒（適合2歲以上的寶貝）

材料

黏土、扮家家酒玩具或家裡的鍋子和碗

玩法

- 扮家家酒遊戲大家一定都很熟悉，但是爸爸媽媽可知道藉由這個遊戲，可以讓寶貝開始接受他平常不願意吃的食物？
- 把扮家家酒需要的材料都準備好，接下來，爸爸媽媽可以扮演來家裡的客人，讓寶貝扮演小廚師，由你決定菜單。
- 利用黏土或玩具，讓寶貝發揮自己的想像力，做出前菜、主食和甜點，也許會出乎你意料之外，寶貝能做出蔬菜焗烤或沙拉配水果醬，這都可以成為媽媽之後為寶貝作的美味佳餚喔！

孩子不喜歡刷牙怎麼處理？

爸媽提問

寶寶非常不喜歡刷牙，每次都會把嘴巴閉很緊，不肯張口，不僅嘴巴很臭，還可能會蛀牙，怎麼辦？

幼兒的內心世界

除非是吃的，否則我就是不喜歡將東西放進我的嘴巴裡！

專家這麼說

孩子不愛刷牙是正常的，就如一般大人不喜歡至牙醫處做定期檢查，更不用說當你拿著一支毛毛又刺刺的東西要塞入孩子的口中，還得在嘴巴裡動來動去的，那種可怕和不舒服的感覺還要在一天內經歷兩次，難怪他們會排斥！

要學習會刷牙，先要學習接受刷牙開始做起，有幾個方法能使這個過程更順利。❶ 首先，為寶貝添購一支他喜歡的牙刷，以孩子喜歡的卡通人物和軟毛的牙刷為主。❷ 另外，倘若孩子的口腔是特別敏感的，建議家長一次先只刷一排牙齒，並避免觸碰到牙齦，直到孩子的接受度夠了，再鼓勵他自己嘗試。

我的兒子 Aidan 是個口腔敏感的孩子，為了提升高他對刷牙的接受度，除了購買了一支火車的牙刷外，還因為兒子愛聽故事，所以我在每次幫他刷牙時，都會一邊幫他刷，一邊說，「Aidan 今天吃了好多食物，媽媽刷一刷，哇！花椰菜不見了、草莓不見了、炒飯不見了、雞肉也不見了……現在 Aidan 的牙齒好乾淨！」並在說完後讓他自己把牙刷再放入有清水的漱口杯裡涮一下，每次看到清水變成混水時，他都會露出有成就感的笑容！

貼心小叮嚀

口腔的清潔需從小建立，就如很多的習慣一樣，愈早開始，並持續便越能養成好習慣！

鼓勵孩子刷牙的遊戲

遊戲1

我幫媽媽刷（適合2歲以上的寶寶）

材料

牙刷

玩法

- 當寶貝看到別人正在經驗一件自己害怕的事，那麼那件事就會變得不那麼的恐怖了！在要求寶貝自己刷牙前，先換個角色，讓寶貝替你刷牙！
- 首先，給寶貝你的牙刷，擠上牙膏，為寶貝解說刷牙的步驟，再讓他在你身上做練習，如果能編出口號：「上排刷刷，下排刷刷，左邊刷刷，右邊刷刷……」寶貝會更投入在其中，學會了之後還能用在自己身上喔！

遊戲 2

我看我學（適合2歲以上的寶貝）

材料

牙刷、鏡子

玩法

- 一般的孩子都很享受模仿別人，但是有些孩子會堅持什麼都要自己來，只要寶貝有自發性的動機，就算是他刷的不乾淨，做的不理想，爸爸媽媽還是要鼓勵孩子的主動性。
- 你可以和寶貝一起站在鏡子面前，讓他透過鏡子模仿你刷牙的動作，過程中可以對著鏡子做出逗笑的表情，轉移寶貝的不安或排斥感，最後，一同和他欣賞在鏡中所看到的潔白牙齒吧！

孩子很好動是不是過動？

爸媽提問

孩子老是動來動去，衝來衝去，一刻都沒停過，好擔心他是不是過動？

幼兒的內心世界

媽媽：「你是屁股癢嗎？為什麼坐在椅子上卻一直動來動去？」

寶貝心裡想著：「我已經坐著很久了，還要再坐多久啊？」

專家這麼說

在這個發育時期，孩子原本就是會透過肢體和動作去學習，動來動去是正常的，反而是那些不動的孩子才需要擔心！然而，現在的大環境和我們生活的方式太過於限制孩子「動」的需求；檢視一下自己，平常孩子們在家時都在做些什麼？看電視？看書？還是只提供孩子一些靜態的活動？如果大部分的時間孩子都處於靜態的狀況，這也難怪他們一逮到機會就會想動動身體了。因此，每天提供適當的運動機會是必要的，這些活動若是能有目的性，像是球類活動，讓孩子「動」得有目的、有目標，除了能滿足他生理上的需求外，還能培養專注力！

Aidan從小就愛動，加上又是個男生，家人難免會擔心他是不是個過動兒。我倒是先不會往壞處想，這個時期的孩子本來就好動，我的想法是先讓他消耗過多的體力再說！為了讓Aidan每天都有足夠的運動量，我讓他戒掉娃娃車，跟我去教育中心上課不是要求他跟我一起用走的，就是讓他用滑步車滑到中心門口；下課回到家後，跟爸爸還有他們父子的打球時間。除了這些固定的運動外，當他在家或在教育中心進行靜態的活動時，我一定會在中間穿插一些動態的活動，讓他動動身體。我發現，兒子雖然愛動，但是當我滿足了他的生理需求，他也學會了該動的時候動，該靜的時候靜囉！

貼心小叮嚀

孩子每天都需要消耗體力，帶孩子出門走走、散步、溜滑梯、踢球，有足夠運動量的孩子不僅能吃得好，也能睡得好。

讓孩子活動肢體的遊戲

遊戲 1

我會踢足球

（適合2歲6個月以上的寶貝）

材料

球、空紙箱（或空玩具箱）

玩法

- 這也是愛玩球的寶貝會喜愛的遊戲，遊戲的難易度可視寶貝的能力做調整。
- 先觀察寶貝是否能模仿你踢一個固定不動的球，當他有踢球的能力時，你可以先將空紙箱倒放，再讓他模仿你朝著空箱子踢球。
- 如果寶貝都能成功地踢球，這時你可以讓寶貝挑戰將移動的球踢入箱子，你只需緩慢的將球滾向寶貝，並且口頭提示他，「踢！」，當寶貝將球踢入箱子內時，別忘了幫寶貝歡呼並喊，「得分！」

遊戲 2

歡樂保齡球

〔適合2歲6個月以上的寶貝〕

材料

10個空的飲料寶特瓶、球、圖畫紙、麥克筆

玩法

・這個遊戲除了可以消耗體力，還能訓練寶貝的專注力及手眼協調的能力喔！

・首先，以麥克筆在圖畫紙上描繪出寶特瓶底部的外圍，作為放置寶特瓶的視覺提示，你可以在圈圈裡寫上1至10的數字，再引導寶貝將寶特瓶一個一個地照著數字的順序放置在你畫的圈圈裡，很快的自製保齡球場就完成囉！

・接下來，示範用雙手滾球的方式打倒保齡球瓶，讓寶貝在近距離的地方嘗試，再和他一起數數看有幾個瓶子被打倒了，愛玩球的寶貝們一定能玩上好幾輪喔！

孩子經常情緒失控怎麼辦？

爸媽提問

孩子常常會情緒失控，只要不順心，不是大聲尖叫，就是賴在地上哭，該如何教導？

幼兒的內心世界

我就是生氣嘛！你為什麼就是不懂我在生什麼氣呢？

專家這麼說

對於家長和孩子來說，情緒管理都不是個簡單的課題，唯一的差異性是在於大人具有自我控制的能力，而孩子們卻還在學習如何表達自己的情緒及如何處理情緒。當孩子還未能熟稔這些技巧時，他們只能用最快速、最方便的方式來表達，像是用哭的、搞破壞，甚至是攻擊別人；如果這個時候我們只想處理這些惱人的行為，那麼其實我們根本沒處理到孩子的情緒問題，時間一久，負面情緒的累積只會帶來更多的行為問題。

然而，在這個年齡層，期待孩子有高的EQ，懂得如何調適自己的情緒是困難的，這個階段，須優先教導孩子如何表達出自己的情緒，而家長先要做好示範，經常在孩子面前運用情緒的詞彙，像是，「不能玩玩具，你很生氣」、「爸爸要去上班了，你很傷心」，同時搭配當下的情境，孩子聽多了，自然而然就會學習運用在自己身上了。

我一直認為，機會教育是教養的關鍵，從生活和體驗中學習，孩子不但吸收的好，還更能活用他們所學的知識，教導情緒就是一個好例子。

貼心小叮嚀

當孩子在有情緒的當下盡量不要安撫孩子，以免造成他往後都以這種方式來表達他的情緒，建議家長先給孩子一點時間讓他冷靜後再回應他，因為孩子在有情緒時較無法聽得進去他人說的話，別說大道理，情緒穩定時再教他如何處理情緒的方法。

當 Aidan 不好好吃飯時，爸爸會做出生氣的樣子，這時候就是最好的學習時機，我會在旁說，「你沒有好好吃飯，所以爸爸生氣了。」

或著是當我不小心把碗打破了，我會說出自己的感受給他聽，「我打破我最喜歡的碗，我好難過喔！」生活中只要一有機會，我一定會幫他描述出他所觀察到的，或他自己所經歷的情緒。

有一天，他翻著一本外婆買給他的多啦 a 夢貼紙簿，看到一張大雄的老師生氣的貼紙，他竟然對我說，「他生氣了。」後來他馬上翻到下一頁，指著另一張老師面無表情的貼紙並描述著，「沒有生氣。」令我相當驚訝的是，他不僅單單開始有辨識情緒的能力，他還能對照情緒，真是不枉我的苦心啊！

貼心小叮嚀

選擇情緒繪本的一個關鍵，就是盡量選擇與孩子有相同經驗的繪本，孩子就更能體會和理解。

我好難過

培養高EQ寶寶的遊戲

遊戲1

情緒紙盤（適合2歲6個月以上的寶貝）

材料

麥克筆、數個小紙盤、數枝免洗筷、膠帶、情緒繪本

玩法

- 情緒對孩子而言是抽象的，爸爸媽媽可以在說故事的時候，藉由故事的情節，特別強調某個情緒，並以具體的方式呈現出不一樣的情緒。
- 在說故事之前，先製作一些情緒的表情，將一般常見的情緒，像是開心、難過、生氣，分別畫在紙盤上，再將竹筷子貼在盤子的底部，情緒紙盤就完成了。
- 接著，告訴寶貝遊戲規則，「媽媽要講故事囉！媽媽講到別人的感覺時就會帶著你拿起一個盤子喔！」當你講到相關的情緒時，像是「弟弟不小心踩壞了他的玩具，他好難過。」這時，帶著寶貝一起拿起「難過」的紙盤，讓他注視一下難過的表情。這樣一來，透過不同的繪本，寶貝就能從多重的範例中學習辨識他人和自己的情緒。

遊戲 2

心情小物儲藏庫

（適合2歲6個月以上的寶貝）

材料

代表不同情緒的小物件

玩法

- 寶貝在不同的情境下都會有著不同的情緒，除了藉由爸爸媽媽的口認識一些情緒的詞彙外，寶貝也可以開始學習更多的情緒描述。
- 爸爸媽媽一開始可以先做示範，像是告訴寶貝：「媽媽開心的時候會想到彩色的彈珠，難過的時候會想到灰色的石頭。」並和孩子一起收集小物件，作為不同情緒的代表，你也可以給寶貝機會讓他聯想自己的情緒與不同的物件，從中增加他的情緒詞彙和事物的連結。

如何教孩子收拾玩具？

爸媽提問

孩子的房間總是亂七八糟，不僅散亂著繪本還到處都是玩具，永遠都是我在收拾善後！該怎麼教？

幼兒的內心世界

玩具好好玩，我才不要收呢！反正最後爸爸媽媽會幫我收。

專家這麼說

媽媽：「小寶，要收玩具了。」

小寶：「繼續玩。」

媽媽：「我說要收玩具了，我數到3，1 2 3。」

小寶：「繼續玩。」

媽媽直接幫他收拾。

貼心小叮嚀

有時候，讓孩子先收好玩過的玩具，再讓他玩另一個玩具，也是個誘發他收玩具動機的好方法喔！

這個畫面相信為人父母的都一定很熟悉，也一定很困擾，為什麼怎麼說，孩子總是不聽呢？此時先跳脫自己是父母的角色，假想自己是孩子；當你正在玩著自己喜歡的玩具，媽媽叫你馬上收玩具，你會心甘情願的順從嗎？假設這時候媽媽又過來幫你收，你會不會覺得自己以後不收也沒關係？由此可見，若是要孩子聽你的話，乖乖的收拾玩具，不僅是要把話說在對的時間點，需要運用一些技巧外，還要讓孩子知道「收玩具」的標準，像是收到多乾淨或是收到哪裡等。

玩具灑滿地是每天在我們家都會遇到的情境，Aidan 不是把所有的積木都從盒子裡倒出來，就是把他心愛的小汽車全部搬出來「開」，有時候看到這個景象，連我自己都不知道該從何收起，更何況是一個兩歲的孩子，就算是我說：「收玩具，」他也從來沒聽過。有一次，我換了一個方式，把說的改為用唱的：「clean up, clean up, everybody everywhere, clean up, clean up, everybody do your share.」然後一邊唱，一邊收給他看，Aidan 也很開心的跟著我一起唱和一起收，就這樣一下子玩具都收乾淨了，接下來的幾次，我只是開始唱歌，他就會帶著微笑收玩具。其實，有時候換一個輕鬆的方式，反而效果會更好喔！

教孩子收拾玩具的遊戲

遊戲1 每個玩具都有家（適合2歲以上的寶貝）

材料

收納盒、玩具的照片、膠帶

玩法

- 將玩具歸類，將同類的玩具放在一起拍一張照片，貼在收納盒上，利用這樣的視覺提示，寶貝較能明確地知道玩具該放置在哪個盒子裡。
- 收玩具時，避免一開始就要求寶貝把全部的玩具收乾淨，而應以漸進式進行，比如地上有10塊積木，先讓寶貝看你將7塊積木放入收納盒裡，再請他將最後的3個積木放進收納盒裡，之後再逐漸增加他需要收的數量，這樣寶貝就不會覺得自己在進行一個不可能的任務了！

遊戲2

快快收、慢慢收（適合2歲6個月以上的寶貝）

材料

快和慢節奏的音樂

玩法

・音樂除了帶給人帶來不同的情緒外，它的節奏也能引發不同的學習效果喔！爸爸媽媽可以先準備不同節奏的音樂（例如，爸爸的手機是快節奏的音樂、媽媽的手機是慢節奏的音樂），或是直接用唱的。

・在帶領寶貝收玩具的時候，在快節奏的音樂下，示範如何「快快的收」，或在慢節奏的音樂下，示範如何「慢慢的收」，這樣，寶貝可以隨著音樂學習不同的節奏感，收玩具也變成了一個好玩的遊戲了！

如何讓孩子喜歡閱讀？

爸媽提問

大家都說閱讀很重要，我也常常幫寶貝買繪本或帶他到圖書館去借書，除了唸給他聽外，我還需要教些什麼呢？

幼兒的內心世界

我喜歡聽媽媽說故事，有時候媽媽會問我一些問題，可是我不一定聽得懂耶！有時候媽媽會叫我認字，那些字是什麼意思啊？

專家這麼說

近年來，在教育界裡愈來愈關注親子共讀的重要性，因此坊間的書籍也發展出能協助孩子在不同領域該學習的內容，其中包括知識、社交、情緒和品德教育等，就是希望家長能透過書籍教導孩子一些生活中重要的課題。當然，書的內容固然重要，但是內容若是能搭配孩子當下的心智能力，孩子就愈能理解其中的含意，也就是說，家長若是說了一個深奧的品格故事給一個兩歲的孩子聽，孩子當然無法理解，但是如果家長選擇的書籍內容是與孩子相關的，或者是他曾經經歷過的事情，孩子就比較能理解，有些孩子甚至還能反射在自己的身上。

說故事是我們家裡每天必做的功課，還記得 Aidan 小的時候還不會說話，我只選擇鮮豔、圖片明確的繪本，從中教他認識書中的事物，重複說著物品或事件的名稱，例如，杯子、刷牙、兔子、小狗等，聽久了，當我問他，「兔子在哪裡？」他也能明確地做指認；隨著年齡和表達能力的增長，我選擇的書籍就逐漸地改為有情節的繪本，說故事的重點也漸漸地放在理解力上，因為只有「聽得懂」，孩子才能從書中得到更多的收穫。以下「Who, What, Where」的小遊戲，就是我和 Aidan 的親身體驗！

貼心小叮嚀

從書中可獲得的知識有很多，識字並不是孩子現階段應優先學習的，家長不需操之過急，很多孩子會識字，但卻沒有理解力，這是浪費時間也錯失了很好的學習經驗喔！

教寶寶愛閱讀的遊戲

遊戲1 Who, What, Where（適合2歲以上的寶貝）

材料

收納盒、玩具的照片、膠帶

玩法

・光聽故事不夠，聽得懂，才代表寶貝真的有吸收。要訓練寶貝聽的理解力，首先必須先選擇合宜的繪本，繪本裡應該有著明確的訊息，盡量以單純的背景為主，例如，書中蝴蝶在花園裡飛舞，你可以先描述情境，句子愈簡潔愈好：「蝴蝶在花園裡飛舞。」

・說完後你可以立即問寶貝Who, What, Where相關的問題：「蝴蝶在做什麼?」、「誰在飛？」或「蝴蝶在哪裡飛？」問問題的時候，你可以指著書中的圖片答案「花園」、「蝴蝶」或「飛」，讓寶貝在視覺的提示下回答，這樣他較能容易理解你的問句喔！

遊戲 2

故事123

〔適合2歲3個月以上的寶貝〕

材料

繪本、紙板、不織布、剪刀、雙面膠

玩法

‧另一個從繪本中可引導出的能力是對事件的順序概念，這個遊戲的方法是要先製作出繪本裡的主角和背景，例如，《小紅帽》故事裡的主角包括了小紅帽、奶奶和大野狼，你可以在不織布上描繪出故事的主角再剪下來製作，或者也可以去下載圖片，著色後剪下來替代。

‧先把故事對寶貝說一遍，讓寶貝先對故事情節有初步的認識，再開始進行事件順序的排列，你可以再講一次故事，但是一次只說出一個重點，例如，「小紅帽要去奶奶家看生病的奶奶」；接著引導寶貝選出小紅帽，並帶著小紅帽走向奶奶的家，照著這個步驟把

故事說完，寶貝不僅會從這個遊戲中學習事件的先後順序，還能同時參與故事活動，寶貝會更樂在其中喔！

如何教導孩子學會「等待」？

爸媽提問

每次叫孩子等一下，他就是不能等，不是開始鬧脾氣就是開始大哭，有什麼方法可以教他如何等待嗎？

幼兒的內心世界

每次都說等，我不要等！要等到什麼時候？我就是現在要！

專家這麼說

「等一下」、「等」、「＿分鐘後」等用語對這個年齡的孩子而言是個非常抽象的概念，他們不理解時間，也不能預期「一下」是指多久以後，這些詞彙只是在告訴他們「你現在得不到」，這也難怪他們會鬧脾氣了！有時候，對於抽象的概念要透過具體的方式來引導，孩子才會願意接受，當他們理解時，情緒的反應就不會那麼的強烈了。具體的方式跟我們說話的方式有關，多運用「先……再……」、「做完＿＿之後我們就＿＿」……等，孩子就比較能預期要等到什麼時候。

以上的說法我們家常常使用，Aidan能接受這種具體的說法，同時也能學習等待；此外我還有另一個妙招，就是當他需要等待的時候，我會對他說，「我們一起數到10，然後我們就可以＿＿。」當然數數要快要慢是我自己控制，如果我需要他等待久一點我便會慢慢地數，在Aidan沒察覺到的情況下，還能跟我一起開心地大聲數數，快數到10的時候，他還會以期待的眼神看著我呢！

貼心小叮嚀

兩、三歲的孩子沒有大人般的耐心是正常的，別期待孩子能等待很長的時間，保持著實際一點的期待，例如，最多只要求孩子等待3至5分鐘，就可避免情緒或其他的行為問題。

教導孩子等待的遊戲

遊戲1 嗶嗶響了（適合2歲以上的寶貝）

材料

計時器、點心

玩法

- 現在寶貝雖然還未發展出時間的概念，計時器卻是一個可幫助寶貝建立時間觀念的好工具。在正式使用計時器來教導等待之前，先讓寶貝熟悉計時器的功能，爸爸媽媽可以在不同情境裡示範，當計時器響起時說出，「嗶嗶嗶了，我可以吃點心了。」
- 在幾次的示範之後，當你要求寶貝「等待」時，你可以說，「寶貝，你先按下計時器，3分鐘一到你就會聽到嗶嗶嗶，我們就可以去公園了。」這時候，你的寶貝不但會將焦點轉移到計時器上，你也不必再為「等待」這事跟孩子把好的氣氛給破壞了！

遊戲 2

等一等，你會得到更多

（適合3歲以上的寶貝）

材料

餅乾、糖果，或其他寶貝喜歡的小點心

玩法

・美國史丹佛大學在40年前做過一項研究，當實驗者提供3～5歲的幼兒選擇，「我現在給你一個棉花糖，如果你能不吃它並等我回來，我就給你兩個棉花糖。」結果發現，那些可以延宕被滿足的孩子，在成年後的成就也比一般人高，而關鍵就在於他們具有自我控制的能力，其中包括了等待和忍耐。

・爸爸媽媽可以陪伴寶貝玩這個遊戲，從遊戲中訓練寶貝的耐心，雖然在研究裡實驗者離開了長達15分鐘的時間，爸爸媽媽可先從2、3分鐘開始，如果還可以把寶貝在等待的時候錄影下來，錄下他那忍不住想吃的有趣行為，它可成為一個很特別的回憶喔！

0－3歲孩子正向遊戲〔修訂版〕
80個啟蒙遊戲，輕鬆引導孩子的惱人行為

作　　者／袁巧玲
選　　書／林小鈴
責任編輯／陳雯琪
協力編輯／蘇麗華

行銷經理／王維君
業務經理／羅越華
總 編 輯／林小鈴
發 行 人／何飛鵬
出　　版／新手父母出版
城邦文化事業股份有限公司
台北市中山區民生東路二段141號8樓
電話：(02) 2500-7008　傳真：(02) 2502-7676
E-mail：bwp.service@cite.com.tw
發　　行／英屬蓋曼群島商家庭傳媒股份有限公司城邦分公司
台北市中山區民生東路二段141號11樓
讀者服務專線：02-2500-7718；02-2500-7719
24小時傳真服務：02-2500-1900；02-2500-1991
讀者服務信箱 E-mail：service@readingclub.com.tw
劃撥帳號：19863813
戶名：書虫股份有限公司

國家圖書館出版品預行編目(CIP)資料
親愛的小寶貝在想什麼？ / 袁巧玲著. -- 初版. -- 臺北市 : 新手父母, 城邦文化出版 : 家庭傳媒城邦分公司發行, 2013.07
面 ;　公分. -- (好家教系列 ; SH0111)
ISBN 978-986-6616-93-8(平裝)
1. 育兒 2. 親職教育 3. 親子關係
428　　102013311

香港發行所／城邦（香港）出版集團有限公司
香港灣仔駱克道193號東超商業中心1F
電話：(852) 2508-6231　傳真：(852) 2578-9337
E-mail：hkcite@biznetvigator.com
馬新發行所／城邦（馬新）出版集團 Cite(M) Sdn. Bhd. (458372 U)
11, Jalan 30D/146, Desa Tasik,
Sungai Besi, 57000 Kuala Lumpur, Malaysia.
電話：(603) 90563833　傳真：(603) 90562833

封面設計／徐思文
內頁排版／徐思文
製版印刷／卡樂彩色製版印刷有限公司
2013年07月23日 初版1刷
2020年02月04日 修訂1刷
2023年11月07日 修訂1.8刷
Printed in Taiwan
定價400元
ISBN 978-986-6616-93-8．EAN 4717702100018